CHÂTELAINE

100 RECETTES EXQUISES

Volume 2

Rogers Média

Éditrice : Sophie Banford
Rédactrice en chef, *Châtelaine* : Crystelle Crépeau

Directrice du projet : Nicole Labbé
Directrice artistique : Isabelle Dubuc
Directrice artistique adjointe : Claude Labrie
Rédactrice-coordonnatrice : Johanne Latour
Coordonnatrice photo : Ann Ross
Graphistes : Jade-Hélia Chevalier, Marie-Ève Gagné et Mélanie Ouimet
Réviseures et correctrices : Catherine Calabretta, Christine D'Aoust, Nathalie Elliott, Céline Fortier, Lorraine Lambert, Edith Sans Cartier et Monique Thouin

Photos des recettes
Photographes : Michael Alberstat (pages 15, 31, 69, 130, 178, 184), Roberto Caruso (pages 20, 41, 42, 82, 89, 109, 114, 126, 137, 149, 158, 165, 203, 204, 207, 211, 216), Maude Chauvin (page 57), John Cullen (pages 16, 54, 61, 85, 86, 105, 106, 125, 150, 153, 166, 212, 215), David de Stefano (pages 133, 138, 170), Dana Dorobantu (pages 19, 24, 27, 32, 46, 50, 65, 93, 94, 102, 110, 129, 141, 157, 173, 183, 188, 192), Yvonne Duivenvoorden (page 145), Angus Fergusson (pages 49, 53, 58, 70, 77, 78, 101, 142, 177), Christian Lacroix (pages 35, 36, 45, 66, 73, 74, 97, 98, 113, 146), Dominique Lafond (page 134), Jean Longpré (pages 187, 191, 195), Jodi Pudge (page 174), Erik Putz (pages 81, 117, 121, 161, 162, 196, 200), Sian Richards (pages 28, 90, 208), Louise Savoie (pages 23, 169, 199) et James Tse (page 118)
Concepteurs des recettes et stylistes : Karine Blackburn, Stéphan Boucher, Heidi Bronstein, Anne Fillion, Anne Gagné, Louise Gagnon, Blake Mackay, Monique Macot, Caroline Nault, Sylvain Riel, Josée Robitaille, Nataly Simard et l'équipe de *Châtelaine*

Photo de la page couverture
Photographe : Dana Dorobantu
Assistant de la photographe : Will Cole
Styliste (cuisine) : Blake Mackay
Styliste (accessoires) : Monique Macot (serviette : Moutarde Décor)

Photos de la page couverture arrière
Photographes : Dana Dorobantu (endives, trottoir aux fraises), Roberto Caruso (bacon) et Erik Putz (poisson)

Photos d'ambiance
Photographes : Jacek Jablonski/Stocksy (page 7), Borislav Zhuykov/Stocksy (page 12), Danil Nevsky/Stocksy (page 38), Kirstin McKee/Stocksy (page 62), Jill Chen/Stocksy (pages 122, 154) et Martì Sans/Stocksy (page 180)

———————————

Châtelaine – 100 recettes exquises, Volume 2
ISBN 978-0-88896-723-7
Dépôt légal : 3ᵉ trimestre 2015
Bibliothèque et Archives nationales du Québec 2015
Bibliothèque et Archives Canada 2015

1200, avenue McGill College, bureau 800
Montréal (Québec) H3B 4G7

Gestionnaire, division livres : Louis Audet

Imprimé au Canada
Diffusion : Les Éditions Flammarion

À TABLE!

Reconnue et appréciée depuis des années, la cuisine de *Châtelaine* suit les tendances, mais elle est surtout savoureuse et ancrée dans la vraie vie. Rien d'étonnant à cela car, comme vous, l'équipe du magazine est passionnée par tout ce qui touche la bouffe. À la rédaction, discuter de nos découvertes et aventures culinaires est une activité quotidienne.

Nos mets chouchous, pour la plupart sans prétention, témoignent d'une curiosité et d'une gourmandise assumées. Des traits que vous partagez, si l'on se fie au succès du premier volume de *100 recettes exquises*, paru en 2010. C'est donc avec enthousiasme que nous vous offrons cette nouvelle sélection de coups de cœur. Merci d'inviter une fois de plus *Châtelaine* à votre table – et bon appétit !

L'équipe de *Châtelaine*

TABLE DES MATIÈRES

HORS-D'ŒUVRE & ENTRÉES

SALADE DE POMME, DE FENOUIL ET DE PROSCIUTTO

PRÉPARATION : 10 MINUTES • 4 PORTIONS

laitue frisée 8 feuilles
fenouil 1 petit bulbe, tranché mince
dans le sens de la longueur
pommes Granny Smith 2, évidées,
coupées en fines rondelles
concombre anglais 1/2, coupé
en fines rondelles
prosciutto 8 tranches, coupées
en deux
noix sucrées 125 ml (1/2 tasse)
(voir Notes)

VINAIGRETTE CRÉMEUSE
AU BABEURRE
babeurre 125 ml (1/2 tasse)
(voir Notes)
vinaigre de cidre 2 c. à soupe
mayonnaise légère 2 c. à soupe
poivre du moulin au goût

1 Répartir la laitue dans 4 assiettes. Sur chaque lit de laitue, déposer en alternance les tranches de fenouil, les rondelles de pomme et de concombre et le prosciutto. Garnir des noix sucrées.

2 Pour la préparation de la vinaigrette crémeuse au babeurre : dans un petit bol, fouetter ensemble tous les ingrédients. En arroser la salade au moment de servir.

NOTES

Pour la préparation des noix sucrées : dans une poêle antiadhésive, sur feu moyen, faire griller 125 ml (1/2 tasse) de noix de Grenoble pendant 2 minutes. Y saupoudrer 1 c. à soupe de sucre. Chauffer en remuant constamment jusqu'à ce que le sucre soit fondu, environ 3 minutes. Déposer les noix sur une plaque tapissée de papier sulfurisé (parchemin) et les laisser tiédir.

On peut remplacer le babeurre par 125 ml (1/2 tasse) de lait auquel on a ajouté 1/2 c. à soupe de jus de citron ou de vinaigre blanc. Laisser reposer 5 minutes avant d'utiliser. Ajuster les quantités selon la quantité de babeurre demandée dans la recette.

CREVETTES AU CHILI ET À LA NOIX DE COCO

PRÉPARATION : 15 MINUTES • **CUISSON :** 10 MINUTES • 15 À 20 CREVETTES

crevettes crues géantes décortiquées, avec la queue, surgelées 340 g, décongelées
fécule de maïs ou farine tout usage, 60 ml (1/4 tasse)
sel 1/4 c. à thé
poivre au goût
sauce chili sucrée 180 ml (3/4 tasse) (voir Note)
vinaigre de riz 2 c. à soupe
noix de coco râpée non sucrée 250 ml (1 tasse), légèrement grillée

1. Placer une grille au centre du four et le préchauffer à 200 °C (400 °F). Tapisser de papier d'aluminium une plaque avec rebord et vaporiser d'huile végétale. Éponger les crevettes à l'aide d'essuie-tout. Réserver.

2. Dans un petit bol, mélanger la fécule de maïs, le sel et le poivre. Dans un autre petit bol, mélanger 125 ml (1/2 tasse) de sauce chili et le vinaigre.

3. Dans une assiette, étendre la noix de coco. Tremper chaque crevette dans la fécule – secouer pour en retirer l'excédent –, puis dans le mélange sauce-vinaigre. Enrober de noix de coco. Déposer sur la plaque.

4. Cuire au centre du four jusqu'à ce que les crevettes soient cuites à cœur, environ 10 minutes. Servir avec 60 ml (1/4 tasse) de sauce en guise de trempette.

NOTE

À défaut de sauce chili sucrée, mélanger 125 ml (1/2 tasse) de miel, 2 c. à soupe de sauce au chili et à l'ail et 2 c. à soupe de vinaigre de riz.

RICOTTA MAISON ET COURGES GRILLÉES

PRÉPARATION : 15 MINUTES • **CUISSON :** 40 MINUTES • **ATTENTE :** 2 HEURES 30 MINUTES • 8 PORTIONS

RICOTTA À TARTINER
lait 3,25 % 3,75 litres (15 tasses)
babeurre 1 litre (4 tasses)
  (voir Notes p. 14)
crème 35 % 180 à 250 ml
  (3/4 à 1 tasse)
sel au goût

COURGES GRILLÉES
courges Célébration ou Carnaval
  ou poivrées, 2 grosses
huile d'olive 6 c. à soupe
piment noir Isot broyé 1 c. à thé
  (voir Notes)
paprika fumé 1/2 c. à thé
cannelle moulue 1/2 c. à thé
sel et **poivre** au goût
huile d'olive au citron 2 ou
  3 c. à soupe
sirop d'érable 1 c. à soupe
graines de citrouille grillées
  2 c. à soupe
citron 1, le zeste et la moitié du jus
fleur de sel au goût

pain de campagne au goût, tranché

1 Pour la préparation de la ricotta à tartiner : verser le lait et le babeurre dans une grande casserole. Sur feu moyen, chauffer jusqu'à ce qu'un thermomètre de cuisson indique 82 °C (180 °F), de 10 à 15 minutes. Éteindre le feu et laisser reposer de 30 minutes à 1 heure.

2 Chemiser un tamis d'étamine (coton à fromage) et y déposer le lait caillé avec une écumoire. Laisser égoutter au-dessus d'un grand bol de 2 à 2 1/2 heures. Transférer la ricotta dans un bol. Ajouter graduellement la crème enremuant, jusqu'à ce que la ricotta ait la consistance désirée. Saler. (La ricotta se conserve 4 jours au réfrigérateur.)

3 Préchauffer le four à 200 °C (400 °F). Pour la préparation des courges grillées : parer les courges, les épépiner et les couper en forme de croissants – pas trop minces – et les peler (sauf si l'on utilise la courge Célébration, dont la peau est comestible). Mettre les quartiers de courge dans un bol. Ajouter 3 c. à soupe d'huile d'olive, le piment noir, le paprika, la cannelle, du sel et du poivre. Remuer. Déposer sur une plaque. Faire griller au four jusqu'à ce que la courge soit tendre et légèrement dorée, de 30 à 40 minutes – retourner à mi-cuisson. Mélanger les quartiers de courge avec l'huile au citron, le sirop d'érable, les graines de citrouille, le zeste et le jus de citron. Remuer délicatement pour enrober. Parsemer de fleur de sel.

4 Griller les tranches de pain et les badigeonner d'huile d'olive. Mettre environ 500 ml (2 tasses) de la ricotta sur une planche – il en restera une bonne quantité à conserver pour un autre usage. Creuser un puits dans la ricotta. Verser de l'huile d'olive dans le puits. Servir avec les morceaux de courge grillés et les tranches de pain grillées.

NOTES
On trouve le piment noir Isot dans certaines épiceries fines.

Recette de Dyan Solomon, chef du café Olive et Gourmando, à Montréal.

ŒUFS ÉCOSSAIS CLASSIQUES

PRÉPARATION : 25 MINUTES • **CUISSON :** 40 MINUTES • 6 PORTIONS

CHUTNEY AUX TOMATES ET AU THYM

tomates 1 litre (4 tasses), hachées

oignon blanc 1 de grosseur
moyenne, haché finement,
250 ml (1 tasse)

thym frais 10 tiges

vinaigre blanc 80 ml (1/3 tasse)

cassonade 2 c. à soupe

ail 1 gousse, hachée finement

sel 1/4 c. à thé

œufs 6 petits

chair à saucisse italienne forte
ou douce 450 g (1 lb)

panko (chapelure japonaise) 250 ml
(1 tasse)

huile végétale 500 à 750 ml
(2 à 3 tasses)

1   Pour la préparation du chutney aux tomates et au thym : mettre tous les ingrédients dans une grande casserole. Sur feu moyen-vif, porter à ébullition et cuire en remuant de temps à autre jusqu'à ce que la préparation épaississe légèrement et que presque tout le liquide soit évaporé, environ 30 minutes – il faudra peut-être remuer plus souvent vers la fin de la cuisson. Laisser refroidir légèrement. Retirer les tiges de thym. Laisser refroidir complètement.

2   Déposer les œufs dans une grande casserole et les recouvrir d'eau. Porter à ébullition et cuire 3 ou 4 minutes. Transférer dans un bol rempli d'eau très froide et laisser refroidir 5 minutes. Écaler les œufs et bien les éponger avec des essuie-tout.

3   Diviser la chair à saucisse en 6 portions égales. Aplatir chaque portion en une galette de 13 cm (5 po). Déposer chaque œuf au centre d'une galette et l'enrober complètement de chair à saucisse. Mettre la panko dans un bol peu profond et y passer les œufs pour bien les enrober.

4   Verser l'huile dans une grande casserole pour en couvrir le fond jusqu'à 1 cm (1/2 po) de hauteur. Chauffer sur feu moyen. Y cuire 2 œufs, en les retournant souvent, jusqu'à ce que la panko soit dorée, environ 2 minutes (voir Note). Les transférer dans une assiette recouverte d'essuie-tout. Répéter avec le reste des œufs. Servir chaud ou froid avec le chutney aux tomates et au thym – il restera une bonne quantité de chutney à conserver pour un autre usage.

NOTE

Utiliser un thermomètre à friture pour obtenir des œufs parfaits. La température de l'huile doit être à 160 °C (325 °F).

RONDELLES D'AUBERGINE PANÉES AU PARMESAN

PRÉPARATION : 15 MINUTES · **CUISSON :** 30 MINUTES · 3 OU 4 PORTIONS

œufs 2
ail 1 gousse, pressée
chapelure ou panko
   (chapelure japonaise), 250 ml
   (1 tasse)
parmesan 125 ml (1/2 tasse),
   râpé finement
aubergine 1 (environ 450 g),
   non pelée
sel et **poivre** au goût
citron 1, coupé en quartiers

1   Préchauffer le four à 200 °C (400 °F). Huiler une plaque de cuisson (ou deux, au besoin). Dans un bol, battre les œufs légèrement. Ajouter l'ail et 2 c. à soupe d'eau. Remuer et réserver. Dans un autre bol, mélanger la chapelure et le parmesan. Réserver.

2   Trancher l'aubergine en rondelles d'environ 1 cm (1/2 po). Tremper chacune d'elles dans le mélange d'œufs, égoutter l'excédent et enrober du mélange de chapelure. Déposer sur la plaque de cuisson. Saler et poivrer. Cuire au four environ 30 minutes ou jusqu'à ce que les rondelles soient dorées et croustillantes – les retourner après 20 minutes de cuisson. Servir avec les quartiers de citron.

NOTE
On peut servir ces rondelles avec un coulis de tomates chaud, si désiré.

VERRINES DE CREVETTES ET DE POMME VERTE

PRÉPARATION : 20 MINUTES • 12 VERRINES

crevettes nordiques fraîches
ou surgelées (et décongelées),
250 g, égouttées

yogourt nature 2 %
(grec ou ordinaire) 3 c. à soupe

jus de citron 1 c. à soupe

estragon frais 1 c. à thé, haché

sel et **poivre du moulin** au goût

céleri 2 branches, émincées

pomme verte 1/2, épépinée
et coupée en dés

oignon vert 1, haché finement
+ un peu plus, coupé en fins rubans
(garniture)

huile d'olive extra vierge 1 c. à thé

piment d'Espelette moulu
au goût

1 Dans un bol, mélanger les crevettes, le yogourt, le jus de citron et l'estragon. Saler et poivrer. Dans un autre bol, mélanger le céleri, la pomme, l'oignon vert et l'huile. Saler et poivrer.

2 Répartir la moitié de la salade de céleri dans 12 verres ou coupes d'une contenance d'environ 60 ml (1/4 tasse). Y déposer la moitié des crevettes. Répéter ces opérations de manière à former quatre étages dans chaque verrine. Réfrigérer au besoin. (Les verrines peuvent être préparées de 4 à 5 heures à l'avance et conservées au réfrigérateur. Les laisser à température ambiante une trentaine de minutes avant de servir.) Au moment de servir, parsemer de piment d'Espelette et garnir d'un fin ruban d'oignon vert.

FONDUE AUX TROIS FROMAGES ET CHAMPIGNONS POÊLÉS

PRÉPARATION : 20 MINUTES · **CUISSON :** 20 MINUTES · 4 PORTIONS

26

huile de pépins de raisin
 3 c. à soupe
ail 2 gousses, tranchées finement
amandes tranchées 60 ml
 (1/4 tasse) (facultatif)
sel 2 pincées
champignons variés 250 g, parés
gousse de vanille 1/2
bouillon de légumes 180 ml
 (3/4 tasse)
fécule de maïs 1 1/2 c. à thé
citron 1, le zeste râpé finement
 et le jus
mozzarella fraîche 250 g,
 coupée en dés
fromage fumé (cheddar, gouda
 ou caciocavallo) 100 g, râpé
fromage de chèvre non affiné
 125 g
persil italien quelques feuilles
poivre du moulin au goût
pain baguette ou pain de
 campagne, 1, coupé en tranches et
 grillé, ou croustilles de pita, au goût

1 Dans une poêle de grosseur moyenne, sur feu moyen, chauffer 1 1/2 c. à soupe d'huile (en utiliser un peu moins si l'on omet les amandes). Y faire dorer l'ail et, si désiré, les amandes, avec une pincée de sel, environ 2 minutes – retirer de la poêle aussitôt que l'ail commence à dorer. Réserver dans une assiette recouverte d'un essuie-tout.

2 Au besoin, couper en deux les champignons les plus gros. Dans la même poêle, sur feu moyen, chauffer 1 1/2 c. à soupe d'huile. Y faire revenir les champignons avec une pincée de sel, de 5 à 8 minutes environ selon la grosseur des champignons, jusqu'à ce qu'ils soient dorés, sans plus – procéder en deux poêlées au besoin. Retirer de la poêle et réserver dans une assiette creuse recouverte d'un essuie-tout. Avec la pointe d'un couteau d'office, fendre la demi-gousse de vanille en deux dans le sens de la longueur. Retirer l'essuie-tout de l'assiette en y laissant les champignons. Racler les graines qui se trouvent à l'intérieur de la gousse et les ajouter aux champignons – conserver la gousse pour un autre usage. Bien mélanger et réserver.

3 Dans la poêle, sur feu moyen, verser le bouillon. Y délayer la fécule de maïs. Ajouter le jus de citron et amener à ébullition. Réduire le feu à très doux et incorporer les fromages en trois temps, en remuant constamment jusqu'à ce que le mélange soit lisse.

4 Ajouter au fromage fondu les champignons, les amandes, si désiré, et l'ail. Garnir du persil et du zeste de citron. Poivrer. Servir aussitôt avec des tranches de pain grillées.

ROULEAUX DE CHOU CAVALIER AU QUINOA ET AU CARI

PRÉPARATION : 15 MINUTES • **CUISSON :** 15 MINUTES • 4 PORTIONS

quinoa 375 ml (1 1/2 tasse)

raisins de Corinthe 60 ml (1/4 tasse)

pâte de cari Madras (de marque Patak's) 3 c. à soupe

sel 1/4 c. à thé

carottes 250 ml (1 tasse), coupées en fine julienne

betteraves 250 ml (1 tasse), coupées en fine julienne

vinaigre de cidre 3 c. à soupe

chou cavalier 4 grandes feuilles, les tiges enlevées

avocat 1, coupé en quartiers minces

1 Verser 750 ml (3 tasses) d'eau dans une grande casserole et amener à ébullition. Ajouter le quinoa, les raisins de Corinthe, la pâte de cari et 1/8 c. à thé de sel. Remuer. Réduire le feu à moyen, couvrir et laisser bouillir doucement jusqu'à ce que le quinoa soit tendre, environ 12 minutes. Retirer la casserole du feu. Remuer avec une fourchette pour détacher les grains. Laisser reposer 10 minutes.

2 Entretemps, dans un bol de grosseur moyenne, mélanger les carottes avec les betteraves. Ajouter le vinaigre de cidre et 1/8 c. à thé de sel. Mélanger.

3 Étendre une feuille de chou sur un plan de travail. Déposer une généreuse cuillerée de quinoa, avec des raisins, à la base de la feuille. Y répartir le quart du mélange carottes-betteraves et des tranches d'avocat. Plier la base de la feuille sur les garnitures, puis rabattre les côtés vers le centre pour obtenir un rouleau bien serré. Déposer le rouleau, l'ouverture dessous, dans une assiette de service. Répéter avec le reste des ingrédients – il restera du quinoa; le réserver pour un autre usage. Couper les rouleaux en deux avant de servir.

BOUCHÉES DE HALOUMI AU SÉSAME ET AU MIEL CHAUD

PRÉPARATION : 10 MINUTES · **CUISSON :** 5 MINUTES · 14 À 16 BOUCHÉES

farine tout usage 2 c. à soupe
graines de sésame 80 ml
 (1/3 tasse)
œuf 1
haloumi 1 paquet (200 g), coupé
 en cubes de 2 cm (3/4 po)
huile végétale 750 ml à 1 litre
 (3 à 4 tasses)
miel 1 c. à soupe

1   Mettre la farine dans une assiette et les graines de sésame dans une autre assiette. Dans un bol peu profond, battre l'œuf. Enrober les cubes de haloumi de farine – les secouer pour enlever le surplus. Les tremper dans l'œuf battu, puis les rouler dans les graines de sésame pour les enrober.

2   Verser l'huile végétale dans une grande casserole pour en couvrir le fond jusqu'à environ 1 cm (1/2 po) de hauteur. Chauffer sur feu moyen. Mettre le tiers des cubes de fromage dans l'huile chaude – ne pas surcharger la casserole. Les cuire en les retournant souvent jusqu'à ce que les graines de sésame soient dorées, de 30 secondes à 1 minute. Les déposer sur une plaque tapissée d'essuie-tout. Répéter avec le reste des cubes de fromage.

3   Réchauffer le miel au micro-ondes environ 30 secondes. Au moment de servir, en arroser les bouchées de haloumi.

BOULETTES DE POIREAU ET DE PARMESAN

PRÉPARATION : 25 MINUTES • **CUISSON :** 30 MINUTES • ENVIRON 18 BOULETTES

huile d'olive 3 c. à soupe

poireaux 2 gros, la partie blanche seulement, coupés en très petits dés de 0,5 cm (1/4 po), 1 litre (4 tasses) (voir Notes)

œuf 1

panko (chapelure japonaise) 125 ml (1/2 tasse)

parmesan ou pecorino romano ou grana padano, 125 ml (1/2 tasse), râpé

menthe fraîche ou basilic frais, 3 c. à soupe, ciselée

sel et **poivre du moulin** au goût

ACCOMPAGNEMENTS

crudités (poivron, fenouil, etc.) au goût

huile d'olive nature ou aromatisée aux agrumes, au goût

sel en flocons au goût

olives au goût

1 Préchauffer le four à 175 °C (350 °F). Huiler une plaque de cuisson. Dans une poêle, sur feu moyen-doux, chauffer 2 c. à soupe d'huile d'olive. Y faire tomber les blancs de poireaux à couvert, en remuant souvent, de 7 à 10 minutes – ne pas laisser colorer. Laisser refroidir complètement.

2 Dans un grand bol, battre l'œuf. Ajouter la panko, le fromage râpé, 1 c. à soupe d'huile d'olive, les blancs de poireaux et la menthe. Saler, poivrer et bien mélanger. Façonner la préparation en boulettes d'environ 3 cm (1 1/4 po) de diamètre, en les roulant dans le creux de la main. Bien presser. Les déposer sur la plaque et cuire au four 20 minutes – les retourner avec une spatule après 15 minutes de cuisson.

3 Attendre quelques minutes avant de manipuler les boulettes – elles sont très fragiles à la sortie du four. Servir les boulettes chaudes ou tièdes avec, si désiré, des crudités en julienne, arrosées d'un filet d'huile d'olive et parsemées de sel en flocons, et des olives. On peut préparer les boulettes à l'avance et les réchauffer légèrement avant de servir.

NOTES

Il est important de couper le poireau en très petits dés pour que le mélange se tienne bien.

Recette de Josée di Stasio, animatrice d'émissions de cuisine à la télévision et auteure de plusieurs succès de librairie.

ÉTAGÉS TOMATES-COURGETTES

PRÉPARATION : 15 MINUTES • **CUISSON :** 35 MINUTES • 10 ÉTAGÉS

huile d'olive 2 c. à soupe
ail 1 gousse, pressée
courgettes jaunes ou vertes,
   2 d'environ 4 cm (1 1/2 po)
   de diamètre (voir Note)
petites tomates 4 d'environ 4 cm
   (1 1/2 po) de diamètre (voir Note)
sel et **poivre** au goût
basilic frais 1 c. à soupe, ciselé
origan frais 1 c. à thé, ciselé
provolone 50 g, coupé
   en 10 tranches fines

1 Préchauffer le four à 175 °C (350 °F). Dans un petit bol, mélanger l'huile d'olive et l'ail.

2 Couper les courgettes de façon à obtenir 30 rondelles de 0,5 cm (1/4 po) d'épaisseur. Couper les tomates de façon à obtenir 20 rondelles de 0,5 cm (1/4 po) d'épaisseur.

3 Dans une lèchefrite ou un autre plat de cuisson, superposer en alternance les tranches de courgette et de tomate. Former 10 étagés de 5 tranches au total – commencer et finir par la courgette. Badigeonner chaque étagé de l'huile à l'ail. Assaisonner de sel, de poivre, de basilic et d'origan, recouvrir des tranches de provolone.

4 Cuire au four de 35 à 40 minutes ou jusqu'à ce que les légumes soient tendres, et le fromage grillé. Servir chaud ou tiède.

NOTE
Il est important de choisir des courgettes et des tomates de diamètre semblable.

VARIANTE
Remplacer le provolone par de la mozzarella ou du cheddar.

TARTARE DE SAUMON
SUR CROUSTILLES DE WONTON

PRÉPARATION : 20 MINUTES • **ATTENTE :** 24 HEURES • **CUISSON :** 5 MINUTES • 4 PORTIONS

MARINADE FAÇON GRAVLAX

sucre 1/2 c. à thé
gros sel 1/2 c. à thé
huile d'olive 2 c. à soupe
ciboulette fraîche 3 c. à soupe,
  hachée finement
aneth frais 3 c. à soupe, haché
  finement

TARTARE DE SAUMON

filet de saumon environ 450 g
  (1 lb), taillé dans la partie la plus
  épaisse, sans la peau et sans arêtes
persil frais 1 c. à thé, haché
  finement
aneth frais 2 c. à thé, haché
  finement + un peu plus, au goût
  (garniture)
ciboulette fraîche 2 c. à thé, ciselée
citron 1/2, le zeste seulement,
  râpé finement
huile d'olive au citron 1 c. à thé
huile d'olive 1 c. à soupe
caviar Mujjol Shikran (œufs de
  mulet et de hareng d'Espagne) ou
  œufs de tobiko, 2 c. à thé + un peu
  plus, au goût (garniture)
sel et **poivre** au goût

feuilles de pâte à wonton
  fraîches ou surgelées
  (et décongelées), 8
huile d'arachide 60 ml (1/4 tasse)

1   Pour la préparation de la marinade façon gravlax : mélanger tous les ingrédients dans un bol.

2   Badigeonner uniformément les deux côtés du filet de saumon de marinade. Déposer le poisson dans un plat. Recouvrir d'une pellicule plastique et ajouter un poids sur le saumon – par exemple, un autre plat contenant quelques boîtes de conserve. Réfrigérer 24 heures.

3   Rincer délicatement le saumon sous l'eau froide pour retirer toute la marinade. Éponger l'excédent d'eau avec des essuie-tout. Couper le saumon en dés. Mettre dans un grand bol et ajouter le reste des ingrédients du tartare. Remuer délicatement.

4   Tailler les feuilles de pâte à wonton, au besoin, pour obtenir des carrés de la taille désirée. Dans une poêle, sur feu moyen-vif, chauffer l'huile d'arachide. Y frire les feuilles de pâte à wonton 20 secondes de chaque côté. Déposer sur des essuie-tout et éponger pour enlever l'excédent d'huile.

5   Déposer un peu de tartare dans chaque assiette. Ajouter une croustille et la garnir de tartare. Répéter avec une autre croustille et le reste du tartare. Décorer d'un brin d'aneth et de quelques œufs de poisson. Servir aussitôt, accompagné d'une salade verte, si désiré.

SOUPES & SANDWICHS

SOUPE AIGRE-PIQUANTE

PRÉPARATION : 20 MINUTES · **CUISSON :** 15 MINUTES · 2 PORTIONS

SAUCE AU PIMENT
ET AUX CAROTTES
vinaigre blanc 250 ml (1 tasse)
gros sel 1 c. à thé
sucre 1/4 c. à thé
piments serranos 2, épépinés
 et hachés, environ 60 ml (1/4 tasse)
carottes 1 ou 2, râpées et tassées,
 250 ml (1 tasse)

bouillon de poulet faible en sel
 1 litre (4 tasses)
shiitakes 1 barquette (170 g),
 tranchés en morceaux
**pousses de bambou tranchées
 en conserve** 60 ml (1/4 tasse),
 égouttées
poitrine de poulet désossée
 1, tranchée finement
fécule de maïs 4 c. à thé
oignon vert 1, tranché en rondelles
basilic frais au goût (garniture)

1 Pour la préparation de la sauce au piment et aux carottes : dans une grande casserole peu profonde, sur feu vif, mélanger le vinaigre avec 1 c. à soupe d'eau, le sel et le sucre. Lorsque le liquide bouillonne, ajouter les piments et les carottes. Réduire le feu à moyen, couvrir partiellement et laisser bouillir doucement jusqu'à ce que les carottes soient tendres, environ 4 minutes. Retirer du feu.

2 Verser la préparation dans le récipient d'un mélangeur. Mettre le couvercle et le couvrir d'un linge. Réduire en purée en mixant au moins 2 minutes. (Si l'on n'utilise pas la sauce tout de suite, la verser dans un pot. Laisser refroidir et fermer le pot. La sauce se conserve 1 mois au réfrigérateur. Agiter le pot avant de servir.)

3 Dans une casserole, sur feu vif, verser le bouillon. Y mettre les shiitakes, les pousses de bambou et le poulet. Porter à ébullition.

4 Dans un petit bol, mélanger au fouet la fécule de maïs et 80 ml (1/3 tasse) de la sauce au piment et aux carottes – il restera de la sauce à conserver pour un autre usage. Verser ce mélange dans le bouillon.

5 Continuer de cuire la soupe jusqu'à ce qu'elle épaississe légèrement, 2 ou 3 minutes – s'assurer que le poulet est bien cuit. Ajouter l'oignon vert et remuer. Servir et garnir de basilic.

VARIANTES (SAUCE)
SAUCE AU PIMENT JALAPENO ET AUX CAROTTES
Remplacer les piments serranos par des piments jalapenos épépinés.

SAUCE AU PIMENT, AUX CAROTTES ET À LA CORIANDRE
Ajouter 125 ml (1/2 tasse) de tiges de coriandre hachées pendant les 2 dernières minutes de cuisson des piments et des carottes.

SANDWICHS AU FROMAGE FONDANT ET AUX OIGNONS

PRÉPARATION : 10 MINUTES • **CUISSON :** 30 MINUTES • 4 PORTIONS

huile d'olive 3 c. à thé

oignons 3 de grosseur moyenne, tranchés finement, environ 875 ml (3 1/2 tasses)

thym frais 1 branche

bouillon de bœuf faible en sel 1/2 boîte de 900 ml

xérès sec (*sherry*) 60 ml (1/4 tasse) (facultatif)

moutarde de Dijon 4 c. à thé

pain de seigle 8 tranches

gruyère ou fromage suisse, 4 tranches, environ 120 g

1   Dans une grande poêle antiadhésive, sur feu vif, chauffer 1 c. thé d'huile d'olive. Ajouter les oignons, le thym et le bouillon. Cuire à découvert en remuant souvent jusqu'à ce que le liquide ait réduit, environ 15 minutes. Ajouter le xérès, si désiré, et poursuivre la cuisson jusqu'à ce qu'il soit absorbé, environ 5 minutes. Retirer la branche de thym.

2   Étendre la moutarde de Dijon sur 4 tranches de pain. Garnir chacune d'environ 80 ml (1/3 tasse) de garniture à l'oignon et d'une tranche de fromage. Couvrir du reste des tranches de pain.

3   Essuyer la poêle avec des essuie-tout et la chauffer sur feu moyen. Badigeonner la poêle de 1 c. à thé d'huile d'olive et y cuire 2 sandwichs, environ 2 minutes de chaque côté ou jusqu'à ce qu'ils soient dorés. Répéter avec le reste de l'huile d'olive et des sandwichs.

NOTE

Pour garder les sandwichs chauds, les déposer sur une plaque tapissée de papier d'aluminium et les mettre au four à 90 ºC (200 ºF).

44

POTAGE AU PANAIS
ET AU CHEDDAR FORT

PRÉPARATION : 15 MINUTES · **CUISSON :** 35 MINUTES · **ATTENTE :** 10 MINUTES · 6 PORTIONS

huile d'olive 2 c. à soupe
oignon 1, haché
ail 2 gousses, hachées
panais 1 sac (450 g), pelés
  et tranchés en rondelles
graines d'aneth 2 c. à thé
herbes de Provence 1 c. à thé
pommes de terre 3, pelées
  et coupées en dés
bouillon de poulet 1,25 litre
  (5 tasses)
sel et **poivre du moulin** au goût
cheddar fort 250 ml (1 tasse),
  râpé + un peu plus (garniture)
  (facultatif)
croûtons à l'ail (garniture)
  (facultatif)

1 Dans une grande casserole, sur feu moyen, chauffer l'huile. Y cuire l'oignon, l'ail, le panais, les graines d'aneth et les herbes de Provence, à couvert, 20 minutes, en remuant de temps à autre jusqu'à ce que les légumes soient bien colorés.

2 Ajouter les pommes de terre. Verser le bouillon. Sur feu moyen-vif, porter à ébullition. Saler et poivrer. Réduire à feu doux. Couvrir partiellement et laisser mijoter de 10 à 15 minutes ou jusqu'à ce que les pommes de terre soient tendres. Retirer du feu. Ajouter le cheddar et mélanger jusqu'à ce qu'il soit fondu. Laisser tiédir 10 minutes.

3 Verser la préparation dans le récipient d'un mélangeur ou d'un robot culinaire. Réduire en purée. Remettre dans la casserole et réchauffer doucement. Garnir de fromage râpé et de croûtons à l'ail, si désiré.

VARIANTE
Remplacer le cheddar par du fromage bleu. La saveur du potage sera alors plus intense.

SOUPE GRECQUE AUX COURGETTES ET AU CITRON

PRÉPARATION : 10 MINUTES • **CUISSON :** 15 MINUTES • 4 PORTIONS

huile d'olive 1 c. à soupe

oignon 1, émincé

ail 2 gousses, hachées finement

bouillon de poulet faible en sel
1 litre (4 tasses)

courgettes 375 ml (1 1/2 tasse),
râpées

aneth frais 1 c. à soupe, ciselé

citron 1, le jus et le zeste

sel et **poivre** au goût

feta émietté 100 g (2/3 tasse)

1 Dans une casserole, sur feu moyen, chauffer l'huile et y faire revenir l'oignon jusqu'à ce qu'il devienne transparent, 3 ou 4 minutes. Ajouter l'ail et poursuivre la cuisson 1 minute. Ajouter le bouillon et les courgettes. Amener à ébullition. Réduire le feu à moyen-doux et laisser mijoter 3 minutes.

2 Retirer du feu. Ajouter l'aneth, le jus et le zeste de citron. Saler légèrement (le feta est très salé) et poivrer. Garnir chaque portion de feta.

VÉGÉBURGERS DE QUINOA

PRÉPARATION : 30 MINUTES · **CUISSON :** 1 HEURE 10 MINUTES · 4 PORTIONS

SAUCE AU TAHINI
tahini (beurre de sésame)
 60 ml (1/4 tasse)
jus de citron 3 c. à soupe

TOMATES GRILLÉES
tomates italiennes 6
huile d'olive 1 c. à soupe
sel 1/8 c. à thé

quinoa 125 ml (1/2 tasse)
huile végétale 1 c. à thé
champignons de Paris
 1/2 barquette de 227 g, râpés
 grossièrement, environ 250 ml
 (1 tasse)
courgette 250 ml (1 tasse),
 râpée grossièrement
carotte 180 ml (3/4 tasse),
 râpée grossièrement
échalote française 1 petite,
 émincée
ail 1 gousse, émincée
œuf 1, battu
fécule de maïs 3 c. à soupe
sel 1/4 c. à thé
piment de Cayenne 1/8 c. à thé
pains à hamburger ou portobellos
 grillés (voir Note), 4
micropousses (garniture)
 (facultatif)
coriandre fraîche
 (garniture) (facultatif)

1 Pour la préparation de la sauce au tahini : dans un petit bol, mélanger le tahini avec le jus de citron et 2 c. à soupe d'eau jusqu'à ce que le mélange soit homogène.

2 Pour la préparation des tomates grillées : placer une grille au centre du four et le préchauffer à 200 °C (400 °F). (Ou préchauffer le barbecue à feu moyen-élevé.) Couper les tomates en deux dans le sens de la longueur. À l'aide d'une cuillère, retirer les pépins et les jeter. Mélanger les tomates avec l'huile et le sel pour les enrober. Déposer les tomates sur une plaque, le côté coupé vers le haut. Cuire au four environ 30 minutes ou jusqu'à ce que les tomates soient tendres – bien surveiller la cuisson. (Ou cuire au barbecue sur une plaque à cuisson pour barbecue huilée.) Laisser refroidir complètement sur une grille.

3 Entretemps, cuire le quinoa selon les instructions sur l'emballage, environ 15 minutes, sans y ajouter de sel. Mettre dans un grand bol.

4 Dans une grande poêle antiadhésive, sur feu moyen, chauffer l'huile. Y faire revenir les champignons, la courgette, la carotte, l'échalote et l'ail jusqu'à ce qu'ils ramollissent, environ 5 minutes. Ajouter au quinoa les légumes, l'œuf, la fécule de maïs, le sel et le piment de Cayenne. Remuer. Réserver dans un bol.

5 Chauffer la même poêle sur feu moyen. Presser fermement le quart de la préparation de quinoa dans une tasse à mesurer de 125 ml (1/2 tasse), la retourner et laisser tomber son contenu dans la poêle. Presser délicatement pour former une galette d'environ 10 cm (4 po) de diamètre. Répéter avec le reste de la préparation de quinoa. Cuire les galettes jusqu'à ce qu'elles soient dorées et chaudes, environ 4 minutes de chaque côté. (Ou cuire au barbecue, sur feu moyen, sur une plaque à cuisson pour barbecue huilée.)

6 Servir les galettes sur les pains à hamburger ou les portobellos grillés. Garnir de sauce au tahini, de tomates grillées et, si désiré, de micropousses et de feuilles de coriandre fraîches. Servir avec une salade de tomates cerises, si désiré.

NOTE

Pour la préparation des portobellos grillés, si désiré : huiler les chapeaux de 4 gros portobellos et les griller au barbecue sur feu moyen, 5 minutes de chaque côté. (Garder les queues pour un autre usage.)

GASPACHO AUX TOMATES ET AU MELON D'EAU

PRÉPARATION : 15 MINUTES · **ATTENTE :** 2 HEURES · 4 À 6 PORTIONS

melon d'eau sans pépins ou épépiné, 1 litre (4 tasses), coupé en gros cubes + 125 ml (1/2 tasse), coupé en petits dés

tomates bien mûres 500 ml (2 tasses), pelées, coupées en gros cubes

vinaigre de xérès 2 c. à thé

tabasco au goût

sel et **poivre** au goût (voir Note)

concombre libanais 125 ml (1/2 tasse), non pelé, coupé en brunoise (très petits dés)

basilic frais ou menthe fraîche, au goût, ciselé + un peu plus, au goût (garniture)

1   Déposer les gros cubes de melon d'eau dans le récipient d'un mélangeur ou d'un robot culinaire et les liquéfier. Ajouter les tomates et actionner l'appareil par touches successives pour obtenir une purée grumeleuse.

2   Verser dans un contenant. Ajouter le vinaigre de xérès et quelques gouttes de tabasco. Saler et poivrer. Couvrir et réfrigérer au moins 2 heures ou jusqu'au lendemain.

3   Bien remuer. Au moment de servir, ajouter les trois quarts des dés de melon d'eau et de concombre et du basilic ciselé. Servir le gaspacho. Garnir du reste des dés de melon d'eau et de concombre, et de feuilles de basilic.

NOTE

Pour un goût exotique et une touche umami, remplacer le sel par un peu de sauce au poisson.

CHAUDRÉE À LA TRUITE FUMÉE

PRÉPARATION : 15 MINUTES · **CUISSON :** 30 MINUTES · 6 PORTIONS

beurre 2 c. à soupe
céleri 2 branches, hachées
carottes 2, hachées
oignon 1, haché
farine tout usage 2 c. à soupe
sel 1 c. à thé
pommes de terre Yukon Gold
  3, coupées en cubes de 1 cm (1/2 po)
vin blanc sec 60 ml (1/4 tasse)
bouillon de légumes 750 ml
  (3 tasses)
lait 375 ml (1 1/2 tasse)
herbes de Provence 1 c. à thé
crème 35 % 125 ml (1/2 tasse)
filet de truite fumée 200 g,
  la peau enlevée, la chair émiettée
persil frais 2 c. à soupe, haché
poivre au goût

1 Dans une grande casserole, sur feu moyen, faire fondre le beurre. Y faire revenir le céleri, les carottes et l'oignon. Saupoudrer les légumes de la farine et du sel. Cuire en remuant souvent jusqu'à ce que les carottes commencent à ramollir, environ 5 minutes.

2 Ajouter les pommes de terre, le vin, le bouillon, le lait et les herbes de Provence. Amener à ébullition. Réduire le feu à moyen-doux, couvrir partiellement et laisser mijoter jusqu'à ce que les pommes de terre soient tendres, environ 15 minutes. Ajouter la crème et la truite fumée. Remuer et laisser mijoter encore 2 minutes. Au moment de servir, parsemer chaque portion de persil et poivrer.

QUÉSADILLAS AU POULET, À LA MANGUE ET AU BRIE

PRÉPARATION : 15 MINUTES • **CUISSON :** 20 MINUTES • 4 PORTIONS

grandes tortillas nature 4
poulet rôti 1/2, la chair effilochée,
 environ 625 ml (2 1/2 tasses)
mangue 1, coupée en tranches
brie 125 g (environ 1 tasse),
 coupé en dés
coriandre fraîche 60 ml (1/4 tasse),
 hachée
**piments jalapenos marinés
 en tranches** 3 c. à soupe, épongés
 et hachés finement

TREMPETTE À LA LIME
crème sure 125 ml (1/2 tasse)
zeste de lime 2 c. à thé
jus de lime 2 c. à thé

1 Préchauffer le four à 90 °C (200 °F). Dans une grande poêle antiadhésive huilée, sur feu moyen, déposer une tortilla. Garnir la moitié de la tortilla d'un quart de chacun des ingrédients de la garniture : poulet, mangue, brie, coriandre et piments. Replier la tortilla sur la garniture. Cuire jusqu'à ce que le dessous soit doré, environ 2 minutes. Retourner la quésadilla et poursuivre la cuisson jusqu'à ce que l'autre côté soit doré, environ 2 minutes. Transférer sur une plaque et réserver au four. Répéter avec le reste des tortillas et des ingrédients de la garniture.

2 Pour la préparation de la trempette à la lime : dans un petit bol, mélanger tous les ingrédients. Couper chaque quésadilla en quatre pointes. Servir avec la trempette.

POTAGE DE POMMES ET DE LÉGUMES D'AUTOMNE RÔTIS

PRÉPARATION : 1 HEURE · **CUISSON :** 1 HEURE 30 MINUTES · 6 À 8 PORTIONS

BOUILLON DE LÉGUMES
(voir Notes)

graines de fenouil 1 c. à thé
graines de coriandre 1 c. à thé
grains de poivre 10
oignon 1, coupé en deux
carottes 2, coupées en dés
céleri 2 branches, coupées en dés
ail 2 gousses, pelées
anis étoilé 1 petit
persil frais 1 botte, les tiges
  seulement (sans les feuilles),
  bien lavé

oignon 1, coupé en huit quartiers
pommes Granny Smith
  2, épépinées, coupées en
  six morceaux ch.
poivron rouge 1, coupé
  en huit morceaux
ail 6 gousses, non pelées
carottes 3, pelées et coupées
  en morceaux (voir Notes)
céleri 3 branches, coupées
  en morceaux
panais 3, pelés et coupés
  en morceaux
courge Butternut 1 petite,
  pelée et coupée en morceaux
huile d'olive 2 c. à soupe
sel 1/4 c. à thé
poivre du moulin 1/4 c. à thé
tomates italiennes en conserve
  8, égouttées
lait de coco 1 boîte (298 ml)
coriandre fraîche 60 ml (1/4 tasse)
  (garniture)
feta émietté environ 75 g
  (1/2 tasse) (garniture)

56

1 Pour la préparation du bouillon de légumes, si désiré : à l'aide d'un pilon, écraser les graines de fenouil, les graines de coriandre et les grains de poivre. Réserver. Dans une casserole, sur feu vif, déposer les demi-oignons, face coupée vers le bas, et les laisser brûler, à sec, de 3 à 5 minutes. Ajouter les épices, les autres ingrédients et 2 1/4 litres (9 tasses) d'eau. Porter à ébullition. Réduire le feu à moyen-doux et laisser mijoter de 30 à 40 minutes. Passer le bouillon au tamis.

2 Préchauffer le four à 190 °C (375 °F). Dans un grand bol, mettre l'oignon, les pommes, le poivron, l'ail, les carottes, le céleri, le panais et la courge. Ajouter l'huile d'olive, le sel et le poivre. Remuer pour enrober les légumes. Étaler sur une plaque et cuire au four 35 minutes en remuant de temps à autre.

3 Sortir les légumes du four et les transférer dans une grande casserole. Mettre les gousses d'ail de côté – quand elles ont refroidi, les peler et les ajouter aux légumes dans la casserole. Ajouter le bouillon, les tomates et le lait de coco. Porter à ébullition sur feu vif. Réduire le feu à moyen-doux et laisser mijoter 10 minutes.

4 Verser la préparation dans le récipient d'un mélangeur. Réduire en purée. Si le potage est trop épais, y ajouter du bouillon ou de l'eau. Si l'on désire une texture lisse, passer au tamis. Rectifier l'assaisonnement au besoin. Servir. Garnir de coriandre et d'environ 1 c. à soupe de feta par bol.

NOTES

On peut utiliser du bouillon de légumes du commerce, si désiré.

Les carottes et tous les autres légumes devraient être coupés en morceaux de taille semblable.

POTAGE À LA CORIANDRE

PRÉPARATION : 35 MINUTES • **CUISSON :** 15 MINUTES • 6 PORTIONS

CRÈME MEXICAINE (facultatif)
crème sure 80 ml (1/3 tasse)
crème 35 % 80 ml (1/3 tasse)
sel 1/4 c. à thé

coriandre fraîche 2 bottes, bien
lavées, la base des tiges coupée
d'environ 5 cm (2 po) + feuilles,
au goût (garniture)
bouillon de poulet faible en sel
500 ml (2 tasses)
huile d'olive 2 c. à thé
amandes mondées effilées
250 ml (1 tasse)
beurre non salé 2 c. à soupe
oignon 1/2 petit, haché
poireau 1 petit, la partie blanche
seulement, haché, environ 250 ml
(1 tasse)
ail 1 gousse
farine tout usage 2 c. à soupe
vin blanc sec 60 ml (1/4 tasse)
lait 3,25 % 375 ml (1 1/2 tasse)
sel 1/2 c. à thé

1 Pour la préparation de la crème mexicaine, si désiré : dans un petit bol, mélanger les crèmes avec le sel. Laisser reposer au réfrigérateur 3 heures.

2 Remplir à moitié d'eau une casserole de grosseur moyenne et amener à ébullition. Ajouter la coriandre et cuire 1 minute. L'égoutter, la refroidir sous l'eau froide du robinet et la presser pour en extraire le surplus d'eau.

3 Mettre la coriandre dans le récipient d'un mélangeur. Ajouter le bouillon et réduire en purée, environ 1 minute. Verser la purée dans une passoire placée au-dessus d'un bol profond en utilisant une louche pour bien passer tout le liquide – jeter les ingrédients solides. Rincer le récipient du mélangeur.

4 Dans la même casserole, sur feu moyen, chauffer l'huile. Y faire griller les amandes en remuant sans arrêt, environ 2 minutes. Transférer les amandes dans une assiette.

5 Faire fondre le beurre dans la casserole et y cuire l'oignon, le poireau et l'ail jusqu'à ce qu'ils commencent à ramollir, environ 3 minutes. Ajouter la farine en remuant et cuire 1 minute. Verser le vin en remuant sans arrêt jusqu'à ce qu'il soit absorbé, environ 1 minute. Ajouter graduellement le lait en fouettant jusqu'à ce que la préparation épaississe, environ 2 minutes. Verser la préparation de lait dans le récipient d'un mélangeur avec les amandes et le sel. Réduire en purée très fine, en mixant au moins 3 minutes. Remettre la préparation de lait et celle de coriandre dans la casserole et remuer jusqu'à ce que le potage soit chaud.

6 Servir le potage. Garnir chaque bol de feuilles de coriandre et, si désiré, d'une cuillerée de crème mexicaine.

SANDWICHS DE PORC EFFILOCHÉ AU BOURBON ET AU GINGEMBRE

PRÉPARATION : 15 MINUTES · **CUISSON :** 8 HEURES · 8 PORTIONS

oignon 1 de grosseur moyenne,
   coupé en tranches fines
rôti d'épaule de porc désossé
   2 kg (4 1/2 lb), la peau et le gras
   enlevés
soda au gingembre *(ginger ale)*
   1 canette (355 ml)
pains kaiser 8, grillés
salade de chou au goût

SAUCE AU BOURBON
ET AU GINGEMBRE

gelée de pomme 250 ml (1 tasse)
ketchup 250 ml (1 tasse)
vinaigre de cidre 125 ml (1/2 tasse)
bourbon 80 ml (1/3 tasse)
sauce Worcestershire 2 c. à soupe
tabasco 2 c. à thé
poudre d'ail 1 c. à thé
gingembre moulu 1/2 c. à thé

1 Dans une mijoteuse, étaler les tranches d'oignon en une couche uniforme. Déposer le rôti de porc sur les oignons et verser le soda au gingembre. Couvrir et cuire à basse température jusqu'à ce que la viande soit très tendre, environ 8 heures.

2 Mettre le rôti de porc sur une grande planche à découper et les oignons dans un grand bol – jeter le liquide de cuisson. À l'aide de deux fourchettes, effilocher le rôti de porc.

3 Pour la préparation de la sauce au bourbon et au gingembre : dans une grande casserole, sur feu moyen-vif, fouetter la gelée de pomme avec le ketchup, le vinaigre de cidre, le bourbon, la sauce Worcestershire, le tabasco, la poudre d'ail et le gingembre. Amener à ébullition. Laisser mijoter en fouettant de temps à autre, de 6 à 8 minutes ou jusqu'à ce que la gelée soit dissoute et que la sauce soit lisse. Ajouter le porc effiloché et les oignons à la sauce. Remuer pour bien enrober et réchauffer la viande. Retirer du feu. Servir sur les pains kaiser grillés avec la salade de chou. Le porc effiloché se conserve 3 jours au réfrigérateur.

PLATS
PRINCIPAUX

RISOTTO AUX CHAMPIGNONS SAUVAGES

PRÉPARATION : 20 MINUTES • **CUISSON :** 35 MINUTES • **ATTENTE :** 15 MINUTES • 4 PORTIONS

cèpes déshydratés ou autres champignons déshydratés, 10 g

fond de volaille ou bouillon de volaille faible en sel, 1,375 litre (5 1/2 tasses) + 250 ml (1 tasse) au besoin (voir Note)

huile d'olive 1 c. à soupe

beurre 4 c. à soupe

champignons frais (chanterelles, pieds bleus et morilles) 300 g (1,125 litre [4 1/2 tasses])

sel et **poivre** au goût

échalotes françaises 2, hachées finement

riz arborio 375 ml (1 1/2 tasse)

vin blanc sec 125 ml (1/2 tasse)

parmesan 125 ml (1/2 tasse), râpé

persil frais 1 c. à soupe, haché finement

ciboulette fraîche 1 c. à soupe, hachée finement

citron 1/2, le zeste seulement

1 Passer les cèpes sous l'eau froide quelques secondes pour enlever les impuretés. Faire tremper dans 250 ml (1 tasse) d'eau chaude de 15 à 20 minutes ou jusqu'à ce qu'ils soient tendres.

2 Dans une casserole, sur feu vif, porter à ébullition le fond de volaille. Réduire le feu à très doux, couvrir et réserver.

3 Égoutter délicatement les cèpes en réservant l'eau de trempage, si désiré (voir Note). Les hacher grossièrement. (Si l'on a réservé l'eau de trempage des champignons, la passer à travers un tamis très fin – doublé d'un essuie-tout au besoin – puis l'ajouter au fond chaud.)

4 Dans une grande poêle, sur feu moyen-vif, chauffer l'huile d'olive et 1 c. à soupe de beurre. Faire sauter les champignons frais sans trop remuer, environ 4 minutes ou jusqu'à ce que leur eau de cuisson se soit complètement évaporée. Saler et poivrer. Mettre dans un bol et réserver.

5 Dans la même poêle, sur feu moyen, faire fondre 2 c. à soupe de beurre. Y faire suer les échalotes environ 3 minutes ou jusqu'à ce qu'elles deviennent translucides – ne pas laisser colorer. Ajouter le riz et cuire 1 minute en remuant constamment.

6 Verser le vin dans la poêle et remuer environ 1 ou 2 minutes jusqu'à ce que le liquide soit absorbé. Mouiller le riz avec une louche de fond chaud (environ 250 ml [1 tasse]). Remuer fréquemment, environ 3 minutes ou jusqu'à ce que le liquide soit absorbé, avant d'ajouter une autre louche. Poursuivre la cuisson en mouillant graduellement, de 18 à 22 minutes au total ou jusqu'à ce que le riz soit al dente et que la consistance du risotto soit crémeuse – il ne sera peut-être pas nécessaire de mettre toute la quantité de liquide.

7 Retirer du feu. Incorporer le parmesan, 1 c. à soupe de beurre, les champignons sautés, le persil et la ciboulette. Rectifier l'assaisonnement et parsemer du zeste de citron. Servir aussitôt.

NOTE

Si l'on utilise l'eau de trempage des champignons pour la cuisson du riz, le risotto aura une couleur plus foncée que celle que l'on voit sur la photo, ainsi qu'un goût de champignon plus prononcé. On peut remplacer cette eau, si désiré, par 250 ml (1 tasse) de fond ou de bouillon de volaille supplémentaire.

SALADE DE CRESSON
AU TATAKI DE BŒUF

PRÉPARATION : 15 MINUTES • **CUISSON :** 5 MINUTES • **ATTENTE :** 12 HEURES • 2 PORTIONS

filet mignon en un morceau,
300 à 350 g (2/3 à 3/4 lb)
huile de canola 1 c. à soupe
cresson 500 ml (2 tasses),
avec les tiges
radis 2 à 4, émincés
concombre libanais 1/2, émincé
ciboulette fraîche au goût,
ciselée (garniture)
graines de sésame au goût,
grillées (garniture) (facultatif)

VINAIGRETTE/MARINADE ASIATIQUE

ail 1 petite gousse, pressée
gingembre frais 2 c. à thé,
râpé finement
huile de canola 2 c. à soupe
huile de sésame 2 c. à soupe
mirin 2 c. à soupe
sauce soya 4 c. à soupe

1 Préchauffer le barbecue à feu moyen-vif et en huiler la grille. (Ou préchauffer le four à 200 °C [400 °F], ou chauffer un poêlon sur feu moyen-vif.) Préparer un bol d'eau glacée.

2 Bien éponger la viande avec du papier essuie-tout et la badigeonner de l'huile de canola. Griller la viande au barbecue, au four ou au poêlon, environ 30 à 45 secondes de chaque côté. La plonger aussitôt dans le bol d'eau glacée pour en stopper la cuisson. La laisser dans le bol quelques minutes, le temps qu'elle refroidisse complètement.

3 Pour la préparation de la vinaigrette/marinade asiatique : dans un petit bol, mélanger l'ail, le gingembre, les huiles, le mirin et la sauce soya. En verser environ la moitié dans un sac de congélation à glissière. Réserver l'autre moitié au réfrigérateur.

4 Égoutter la viande et la déposer dans le sac. Enlever l'air et s'assurer qu'elle baigne complètement dans la marinade. Fermer le sac hermétiquement et laisser reposer de 12 à 24 heures au réfrigérateur.

5 Au moment de servir, sortir la vinaigrette réservée et la viande marinée du réfrigérateur. Égoutter la viande et jeter la marinade. Avec un couteau bien affûté, couper de fines tranches de viande. Réserver. Dans 2 assiettes, répartir le cresson et garnir des tranches de radis et de concombre. Ajouter les tranches de viande et parsemer de la ciboulette. Napper de la vinaigrette. Garnir de graines de sésame grillées, si désiré.

VARIANTE
Remplacer le cresson par de jeunes épinards ou de la roquette.

PASTILLA AU POULET ET AUX AMANDES

PRÉPARATION : 30 MINUTES · **CUISSON :** 40 MINUTES · 8 PORTIONS

GARNITURE AU POULET

amandes moulues 1 paquet
  (100 g), environ 250 ml (1 tasse)
beurre 2 c. à soupe
oignon 1, haché finement
poulet rôti la chair effilochée,
  1 litre (4 tasses)
persil frais 250 ml (1 tasse), haché
coriandre fraîche 125 ml (1/2 tasse),
  hachée
cannelle moulue 1 c. à thé
sel 1/2 c. à thé
poivre au goût
œufs 3, battus
sucre glace 125 ml (1/2 tasse)

CROÛTE FEUILLETÉE

pâte phyllo 8 feuilles
beurre 60 ml (1/4 tasse), fondu

SAUCE HARISSA

huile d'olive 60 ml (1/4 tasse)
zeste de citron 1 c. à thé
jus de citron 3 c. à soupe
cumin moulu 2 c. à soupe
piment de Cayenne moulu
  1 c. à soupe
sel 1 c. à thé
poivre au goût

sucre glace 2 c. à thé
cannelle moulue 1/4 c. à thé

1 Placer une grille dans le tiers inférieur du four et le préchauffer à 190 °C (375 °F). Assembler un moule à fond amovible de 23 cm (9 po) en mettant le fond à l'envers (le bourrelet vers le bas). Vaporiser légèrement le fond et la paroi du moule d'un enduit végétal.

2 Pour la préparation de la garniture au poulet : chauffer une grande poêle non antiadhésive sur feu moyen. Y faire dorer les amandes moulues en remuant, de 5 à 7 minutes. Les transférer dans une assiette. Dans la même poêle, sur feu moyen, faire fondre le beurre. Y faire revenir l'oignon jusqu'à ce qu'il ramollisse, de 3 à 5 minutes. Ajouter le poulet, le persil, la coriandre, la cannelle et le sel. Poivrer. Cuire 2 ou 3 minutes. Dans un bol, fouetter les œufs avec le sucre glace. Verser ce mélange sur la préparation de poulet et mélanger. Retirer la poêle du feu. Ajouter les amandes moulues.

3 Pour la préparation de la croûte feuilletée : garder les feuilles de pâte phyllo empilées et badigeonner légèrement celle du dessus de beurre fondu. Retirer cette feuille de la pile (couvrir le reste des feuilles d'un linge humide) et l'étendre dans le moule, le côté beurré dessus, de façon à ce qu'une extrémité couvre le fond et que l'autre tombe par-dessus la bordure. Répéter avec les 7 autres feuilles de pâte en décalant chacune de la précédente, de manière à ce qu'il y ait de la pâte qui dépasse tout autour du moule. Déposer la garniture au poulet dans le moule et lisser le dessus. Recouvrir la garniture de pâte en rabattant vers le centre les bouts qui dépassent du moule. Badigeonner légèrement avec le reste du beurre. Couvrir d'une feuille de papier d'aluminium, sans serrer.

4 Cuire au four de 25 à 30 minutes, ou jusqu'à ce que la pâte soit dorée et que la pointe d'un couteau insérée 10 secondes au centre de la garniture en ressorte chaude – retirer le papier d'aluminium après 20 minutes. Laisser tiédir 10 minutes sur une grille.

5 Pour la préparation de la sauce harissa : entretemps, dans un petit bol, mélanger tous les ingrédients de la sauce.

6 Retirer la paroi du moule à fond amovible et transférer la pastilla dans une assiette de service. Mélanger le sucre glace et la cannelle, et les tamiser sur la croûte. Servir la pastilla accompagnée de la sauce harissa.

PAELLA AUX FRUITS DE MER

PRÉPARATION : 35 MINUTES · **CUISSON :** 40 MINUTES · 6 PORTIONS

huile d'olive 1 c. à soupe

saucisses chorizo 225 g (1/2 lb),
tranchées en rondelles

oignon 1 petit, haché

ail 3 gousses, émincées

pâte de tomates 3 c. à soupe

riz à grains longs 500 ml (2 tasses)

bouillon de poulet faible en sel
625 ml (2 1/2 tasses)

jus de palourdes 1 bouteille
(240 ml)

safran en filaments 1/2 c. à thé,
émietté

sel 1/2 c. à thé

cœurs d'artichauts 1 boîte
(398 ml), égouttés et coupés
en quatre

poivron rouge 1, haché
grossièrement

olives farcies au piment 125 ml
(1/2 tasse), tranchées en rondelles

crevettes 16 grosses

moules 450 g (1 lb), brossées,
le byssus (barbe) enlevé

petits pois surgelés 250 ml
(1 tasse)

persil frais 60 ml (1/4 tasse),
haché

1   Dans une grande casserole évasée et peu profonde (ou une poêle à paella), sur feu moyen, chauffer l'huile et y faire revenir les saucisses 3 minutes. Ajouter l'oignon, l'ail, la pâte de tomates et le riz. Cuire en remuant souvent jusqu'à ce que l'oignon ramollisse, environ 3 minutes. Réduire le feu à moyen-doux.

2   Verser le bouillon et le jus de palourdes dans une grande tasse à mesurer. Ajouter le safran et le sel. Remuer. Mouiller la préparation de riz avec 125 ml (1/2 tasse) de bouillon et cuire en remuant sans arrêt jusqu'à ce que le liquide soit absorbé, 3 ou 4 minutes. Étendre la préparation de riz dans la casserole pour en couvrir uniformément le fond. Verser 250 ml (1 tasse) de bouillon, couvrir et laisser mijoter jusqu'à ce que le liquide soit absorbé, de 5 à 7 minutes. Ajouter encore 250 ml (1 tasse) de bouillon, couvrir et laisser mijoter jusqu'à ce qu'il soit absorbé, de 5 à 7 minutes. Verser le reste du bouillon.

3   Déposer les cœurs d'artichauts, le poivron et les olives sur la préparation de riz, puis placer les crevettes et les moules sur les légumes. Couvrir et laisser mijoter jusqu'à ce que le bouillon soit absorbé et que les moules soient ouvertes, environ 15 minutes – jeter les moules qui restent fermées. Parsemer des petits pois. Éteindre le feu, couvrir et laisser reposer 5 minutes. Au moment de servir, parsemer la paella du persil.

HACHIS PARMENTIER AU CARI

PRÉPARATION : 20 MINUTES • **CUISSON :** 50 MINUTES • 4 PORTIONS

PURÉE DE POMMES DE TERRE À LA CARDAMOME

pommes de terre Yukon Gold
4 grosses, pelées et coupées en gros morceaux, environ 1 kg (2 1/4 lb)
crème à cuisson 15 % 180 ml
(3/4 tasse)
beurre 4 c. à soupe
cardamome moulue 1/2 c. à thé
sel et **poivre du moulin** au goût
persil italien au goût, haché
grossièrement

EFFILOCHÉ DE VIANDE AU CARI

huile d'olive 2 c. à soupe
échalotes françaises 3, émincées
raisins secs 80 ml (1/3 tasse)
cari en poudre 1 c. à soupe
graines d'anis 1 c. à thé
restes de viande cuite effilochée
(canard, agneau, porc ou veau)
450 g (1 lb) (voir Notes)
sel et **poivre du moulin** au goût

1   Préchauffer le four à 175 °C (350 °F). Beurrer 4 bocaux en verre épais ou un plat en Pyrex carré de 20 cm (8 po).

2   Pour la préparation de la purée de pommes de terre à la cardamome : dans une casserole d'eau bouillante salée, cuire les pommes de terre environ 25 minutes ou jusqu'à ce qu'elles soient tendres. Les égoutter. Les écraser en y incorporant la crème et le beurre afin d'obtenir une purée grossière. Ajouter la cardamome. Saler et poivrer. Ajouter le persil et mélanger. Réserver.

3   Pour la préparation de l'effiloché de viande au cari : dans une poêle, sur feu moyen, chauffer l'huile d'olive. Y faire revenir les échalotes françaises 5 minutes. Ajouter les raisins secs, le cari et les graines d'anis. Cuire 2 minutes. Retirer la poêle du feu et ajouter la viande. Remuer pour bien l'enrober. Saler et poivrer.

4   Répartir la viande dans les bocaux ou la mettre dans le plat carré. Étendre la purée par-dessus. Cuire au four de 15 à 20 minutes si on utlise des petits bocaux – 25 minutes si l'on utilise un plat carré – ou jusqu'à ce que le dessus soit bien doré.

NOTES
La quantité de viande requise correspond à 3 grosses ou 4 petites cuisses de canard confites.

À défaut de restes de viande, on peut utiliser de la viande hachée.
Dans ce cas, la faire cuire dans la poêle à l'étape 3.

PIZZAS AUX TROIS FROMAGES ET AUX TOMATES SÉCHÉES

PRÉPARATION : 20 MINUTES • **CUISSON :** 35 MINUTES • **ATTENTE :** 30 MINUTES • 3 PORTIONS

SAUCE TOMATE À L'AIL

huile d'olive extra vierge
1 1/2 c. à soupe

échalote française 1 petite,
hachée très finement ou 1/2 petit
oignon

ail 2 ou 3 gousses, dégermées,
écrasées

**tomates italiennes entières
en conserve** 1 boîte (796 ml),
écrasées à la fourchette, avec leur jus

sucre 1 pincée

feuille de laurier 1

sel et **poivre** au goût

parmesan 80 ml (1/3 tasse), râpé

mozzarella 80 ml (1/3 tasse), râpée

provolone 80 ml (1/3 tasse), râpé

pâte à pizza 450 g

huile d'olive extra vierge au goût

tomates séchées dans l'huile
6, tranchées en fines lanières

poivre du moulin au goût

fines herbes fraîches (origan,
basilic, thym ou persil) au goût

1 Pour la préparation de la sauce tomate à l'ail : dans une grande casserole, sur feu moyen, chauffer l'huile. Ajouter l'échalote. Cuire 1 minute. Ajouter l'ail. Cuire environ 1 minute, jusqu'à ce que l'ail dégage son parfum – attention de ne pas trop cuire, l'ail ne doit pas brunir.

2 Ajouter les tomates, le sucre et la feuille de laurier. Saler et poivrer. Laisser mijoter, à feu moyen, en remuant de temps à autre. Cuire de 20 à 25 minutes ou jusqu'à ce que la préparation ait réduit de moitié environ. Laisser refroidir 30 minutes.

3 Préchauffer le four à 220 °C (425 °F). Dans un grand bol, mélanger les trois fromages râpés.

4 Diviser la pâte à pizza en 3 boules. Sur un plan de travail fariné, abaisser les boules pour en faire 3 pizzas de forme oblongue. Les déposer sur une plaque de cuisson légèrement huilée. (Utiliser plus d'une plaque au besoin.) Badigeonner les pourtours d'huile d'olive. Étendre 80 ml (1/3 tasse) de sauce tomate à l'ail sur les pizzas, en laissant une bordure autour – il restera une bonne quantité de sauce tomate à conserver pour un autre usage. Y répartir les trois quarts du mélange de fromages. Ajouter les tomates séchées, puis le reste du fromage.

5 Cuire au four de 10 à 12 minutes ou jusqu'à ce que les pizzas soient dorées. (Cuire en deux temps au besoin.) Poivrer et verser un filet d'huile d'olive, si désiré. Garnir de fines herbes fraîches au moment de servir.

BOULETTES DE CANARD, DE DINDE ET DE POULET EN SAUCE AIGRE-DOUCE

PRÉPARATION : 30 MINUTES • **CUISSON :** 40 MINUTES • 6 PORTIONS

tomates en dés 1 boîte (796 ml)

carotte 1 de grosseur moyenne, pelée et hachée

oignon 1/2, haché

ananas environ 1/2, haché, 500 ml (2 tasses)

ketchup 60 ml (1/4 tasse)

miel 3 c. à soupe

vinaigre de cidre 2 c. à soupe

sel 3/4 c. à thé

poitrine de canard désossée 400 g (un peu moins de 1 lb)

dinde hachée 250 g (un peu plus de 1/2 lb)

poulet haché 250 g (un peu plus de 1/2 lb)

chapelure 80 ml (1/3 tasse)

persil frais 60 ml (1/4 tasse), haché + un peu plus, au goût (garniture)

poivre au goût

1   Dans le récipient d'un robot culinaire, mettre la moitié des tomates, la carotte et l'oignon. Réduire en purée. Ajouter 250 ml (1 tasse) d'ananas. Actionner l'appareil par touches successives, une ou deux fois, pour le hacher finement. Verser cette sauce dans une grande casserole. Sur feu vif, ajouter au mélange le reste des tomates et des ananas, le ketchup, le miel, le vinaigre et 1/4 c. à thé de sel. Amener à ébullition, puis réduire le feu à moyen-doux. Laisser mijoter 15 minutes à découvert en remuant de temps à autre.

2   Retirer la peau de la poitrine de canard et la jeter. Couper le canard en morceaux et le mettre dans le récipient du robot. Hacher grossièrement en actionnant l'appareil par touches successives. Transférer dans un bol de grosseur moyenne. Ajouter la dinde et le poulet hachés, la chapelure, le persil et 1/2 c. à thé de sel. Poivrer. Mélanger avec les mains et former des boulettes de 5 cm (2 po) de diamètre. Mettre les boulettes dans la sauce et laisser mijoter à découvert en remuant de temps à autre jusqu'à ce qu'elles soient cuites, environ 20 minutes. Parsemer de persil, si désiré.

PORC EFFILOCHÉ
À LA MEXICAINE (CARNITAS)
ET RIZ AUX FINES HERBES

PRÉPARATION : 40 MINUTES · **CUISSON :** 4 HEURES 35 MINUTES · 6 PORTIONS

assaisonnement au chili 1 c. à thé
chili broyé 1/4 c. à thé
cumin moulu 1/8 c. à thé
sel 1 c. à thé
rôti d'épaule de porc désossé
  1,5 kg (3 1/4 lb), coupé en 4 morceaux
poivre au goût
bâton de cannelle 1
feuille de laurier 1
oignon 1 petit, coupé en 8 quartiers
ail 2 gousses, tranchées finement
crème mexicaine au goût
  (voir recette p. 59)
avocat 1
coriandre fraîche au goût
  (garniture) (facultatif)

RIZ AUX FINES HERBES
riz basmati 250 ml (1 tasse)
persil frais 180 ml (3/4 tasse), tassé
coriandre fraîche 125 ml
  (1/2 tasse), tassée
menthe fraîche 60 ml
  (1/4 tasse), tassée
ail 1 gousse
huile d'olive 2 c. à soupe
sel 1/4 c. à thé
lime 1, le jus seulement

1 Régler la mijoteuse à température élevée. (Ou préchauffer le four à 160 °C [325 °F].) Mélanger l'assaisonnement au chili, le chili broyé, le cumin et le sel. Enrober complètement les morceaux de porc de ce mélange en frottant pour qu'il pénètre bien. Poivrer. Les mettre en une seule couche dans la cuve de la mijoteuse. Ajouter le bâton de cannelle, la feuille de laurier, l'oignon et l'ail. Couvrir et cuire 4 heures. (Ou déposer le tout dans un plat de cuisson, couvrir et cuire au four pendant 4 heures.)

2 Retirer le porc de la mijoteuse, le déposer sur une planche à découper et le laisser refroidir légèrement – réserver le jus de cuisson et l'oignon cuit. Effilocher le porc à la fourchette.

3 Pour la préparation du riz aux fines herbes: entretemps, cuire le riz selon les instructions sur l'emballage, sans y ajouter de sel ni de beurre, environ 20 minutes. Dans le récipient d'un robot culinaire, mettre le persil, la coriandre, la menthe, l'ail, l'huile d'olive et le sel. Réduire en purée.

4 Dans une grande poêle antiadhésive, sur feu moyen-vif, mettre 2 c. à soupe de jus de cuisson et l'oignon cuit réservés. Ajouter la moitié du porc effiloché dans la poêle chaude et cuire jusqu'à ce que le porc soit légèrement croustillant, de 4 à 6 minutes. Répéter avec le reste du porc, en ajoutant du jus de cuisson au besoin.

5 Au moment de servir, mélanger le riz, la purée de fines herbes et le jus de lime. Servir immédiatement avec le porc effiloché et la crème mexicaine. Couper l'avocat en quartiers et en garnir le riz. Parsemer de coriandre, si désiré.

GALETTES ÉPICÉES AU SAUMON SAUVAGE ET À LA LIME

PRÉPARATION : 15 MINUTES • **CUISSON :** 15 MINUTES • 3 PORTIONS

pomme de terre 1, pelée et coupée en 4

saumon sauvage 1 boîte (213 g), égoutté

œufs 2, battus légèrement

oignon rouge 60 ml (1/4 tasse), haché finement

marinade à la lime de style indien (Pickles à la lime de marque Patak's) 2 c. à soupe, hachée finement

poivre du moulin au goût

panko (chapelure japonaise) 250 ml (1 tasse)

huile végétale 2 c. à soupe

lime 1, coupée en quartiers

SAUCE AU YOGOURT ET À LA CORIANDRE

yogourt nature 60 ml (1/4 tasse)

coriandre fraîche 2 c. à soupe, hachée

1 Dans une petite casserole d'eau bouillante, cuire la pomme de terre jusqu'à ce qu'elle soit tendre, de 5 à 10 minutes. Égoutter. Dans un bol de grosseur moyenne, bien écraser à l'aide d'une fourchette.

2 Ajouter le saumon (y compris la peau et les os) à la pomme de terre et écraser à l'aide d'une fourchette. Ajouter les œufs, l'oignon et la marinade à la lime. Poivrer. Former 6 galettes – le mélange restera humide. Dans un plat profond, mettre la panko et en enrober chaque galette.

3 Dans une grande poêle antiadhésive, sur feu moyen-vif, chauffer 1 c. à soupe d'huile. Y déposer 3 galettes de saumon et réduire le feu à moyen. Cuire jusqu'à ce que les galettes soient dorées, de 2 à 3 minutes de chaque côté. Répéter l'opération avec 1 c. à soupe d'huile et les 3 autres galettes.

4 Pour la préparation de la sauce au yogourt et à la coriandre : dans un petit bol, mélanger le yogourt et la coriandre. Servir les galettes au saumon avec la sauce et les quartiers de lime.

LASAGNE À LA SAUCISSE ITALIENNE ET AUX ÉPINARDS

PRÉPARATION : 25 MINUTES • **CUISSON :** 40 MINUTES • 8 PORTIONS

lasagnes 9
saucisses italiennes fortes
450 g (1 lb), la peau enlevée
oignon 1 petit, coupé en dés
ail 2 gousses, hachées finement
origan séché 1/2 c. à thé
basilic séché 1/2 c. à thé
tomates en dés 1 boîte (796 ml),
avec leur jus
bouillon de bœuf faible en sel
1 boîte (284 ml)
pâte de tomates 2 c. à soupe
cassonade 2 c. à thé
ricotta extralisse faible en gras
1 contenant (300 g), environ
(1 1/4 tasse)
épinards surgelés 2 paquets
de 300 g ch., décongelés et bien
égouttés
**mélange de mozzarella et
cheddar râpés** 1 litre (4 tasses)

1   Placer une grille au centre du four et préchauffer le gril (*broil*). Vaporiser légèrement d'huile un plat à cuisson de 23 x 33 cm (9 x 13 po).

2   Cuire les pâtes selon les instructions sur l'emballage (mais sans ajouter de sel à l'eau) jusqu'à ce qu'elles soient al dente, de 10 à 12 minutes. Égoutter.

3   Entretemps, dans une grande casserole, sur feu moyen-vif, cuire la chair des saucisses en l'émiettant à la fourchette et en remuant souvent jusqu'à ce qu'elle ait perdu sa couleur rosée, environ 5 minutes. Ajouter l'oignon, l'ail et les fines herbes. Cuire jusqu'à ce que l'oignon ait ramolli, environ 3 minutes. Ajouter les tomates, le bouillon, la pâte de tomates et la cassonade. Amener à ébullition. Laisser bouillir en remuant de temps à autre jusqu'à ce que la sauce ait réduit légèrement, à environ 1,25 litre (5 tasses), de 13 à 15 minutes.

4   Étendre 60 ml (1/4 tasse) de sauce dans le fond du plat de cuisson. Couvrir de 3 lasagnes sans qu'elles se chevauchent. Étendre le tiers de la ricotta, puis le tiers du reste de la sauce et le tiers des épinards. Parsemer de 250 ml (1 tasse) du mélange de fromages râpés. Répéter ces étages deux fois en terminant chaque fois avec les fromages râpés. Parsemer la lasagne du reste de fromages râpés.

5   Cuire au four jusqu'à ce que la lasagne bouillonne et que sa surface soit dorée, environ 15 minutes. Laisser reposer 5 minutes.

GIGOT D'AGNEAU
AUX FINES HERBES ET AU CITRON

84

PRÉPARATION : 25 MINUTES • **CUISSON :** 1 HEURE 30 MINUTES • 6 À 8 PORTIONS

ail 6 gousses, hachées
persil frais 60 ml (1/4 tasse), haché
thym frais 2 c. à soupe
huile d'olive 2 c. à soupe
filet d'anchois 1
citron 1, le zeste seulement
gros sel ou sel cachère, 1 c. à soupe
gigot d'agneau 1 de 2,25 kg (5 lb)
poivre au goût

1   Préchauffer le four à 230 °C (450 °F). Dans le récipient d'un robot culinaire, mettre l'ail, le persil, le thym, l'huile d'olive, le filet d'anchois, le zeste de citron et le sel. Broyer jusqu'à ce que le mélange forme une pâte – racler la paroi du récipient au besoin. (On peut utiliser un mortier au lieu d'un robot, si désiré.)

2   À l'aide d'un couteau bien affûté, pratiquer environ 15 incisions profondes sur tout le gigot. Avec les doigts ou un bâtonnet, insérer la pâte de fines herbes dans les incisions. Essayer d'utiliser toute la pâte de fines herbes ; s'il en reste, en frotter la viande. Poivrer le gigot.

3   Déposer le gigot sur la grille d'une rôtissoire et cuire au four 10 minutes. Réduire la température du four à 175 °C (350 °F). Poursuivre la cuisson 1 heure 20 minutes ou jusqu'à ce qu'un thermomètre à viande inséré dans la partie la plus épaisse du gigot indique 54 °C (130 °F) pour une viande mi-saignante – le thermomètre ne doit pas toucher à l'os. Mettre le gigot sur une planche à découper et le couvrir lâchement de papier d'aluminium. Laisser reposer 20 minutes avant de trancher. La température interne devrait alors continuer d'augmenter et atteindre entre 60 °C et 63 °C (140 °F et 145 °F).

NOTE
Il est important de laisser reposer la viande après la cuisson.
C'est le secret pour qu'elle soit tendre et juteuse.

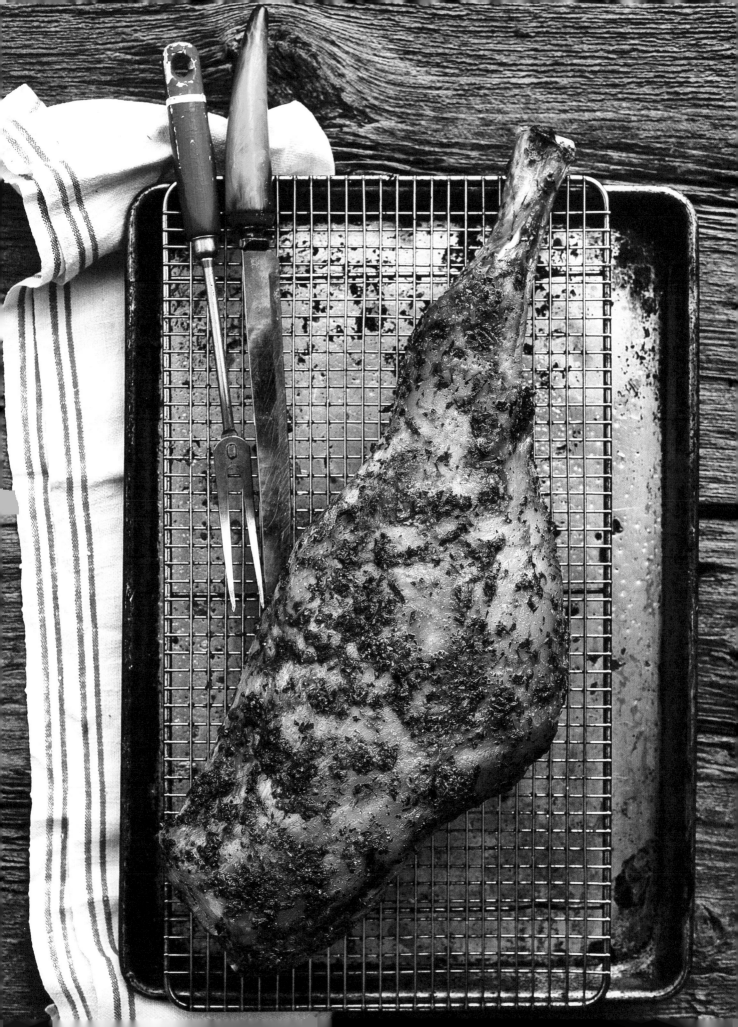

FILETS DE TRUITE, SAUCE AUX PRUNEAUX ET CHOU-FLEUR AUX CÂPRES

PRÉPARATION : 30 MINUTES • **CUISSON :** 35 MINUTES • 4 PORTIONS

huile de carthame ou huile de
canola, 4 c. à thé
oignon 1 petit, haché
carotte 1 petite, hachée finement
champignons de Paris 250 ml
(1 tasse), hachés grossièrement
bouillon de légumes 250 ml
(1 tasse)
jus de pruneau 160 ml (2/3 tasse)
pruneaux dénoyautés 125 ml
(1/2 tasse), hachés grossièrement
vinaigre balsamique 2 c. à thé
pâte de tomates 1 c. à thé
ail 2 gousses, hachées finement
thym frais 2 c. à thé, haché, ou
1/2 c. à thé de thym séché
sel 1 pincée
poivre du moulin au goût
filets de truite arc-en-ciel
4 de 225 g ch., avec la peau

CHOU-FLEUR AUX CÂPRES
chou-fleur 1 petit, coupé en petits
bouquets
huile de carthame ou huile de
canola, 1 c. à thé
câpres 60 ml (1/4 tasse), hachées

1 Placer une grille dans le tiers supérieur du four et le préchauffer
à 230 °C (450 °F). Tapisser de papier sulfurisé (parchemin) ou de
papier d'aluminium 2 plaques avec rebord.

2 Dans une grande casserole, sur feu moyen, chauffer 2 c. à thé
d'huile. Y faire revenir l'oignon, la carotte et les champignons
5 minutes ou jusqu'à ce que l'oignon soit doré. Ajouter le bouillon de légumes, le jus de pruneau, les pruneaux, le vinaigre balsamique, la pâte de tomates, l'ail et le thym. Amener à ébullition
sur feu vif. Réduire le feu à moyen et laisser mijoter doucement
à découvert jusqu'à ce que la préparation ait épaissi, environ
10 minutes. Dans une passoire fine placée sur un petit bol, filtrer
la sauce en pressant avec un ustensile. Saler et poivrer. Réserver.

3 Pour la préparation du chou-fleur aux câpres : étaler le chou-
fleur sur une plaque en une seule couche et l'arroser de l'huile.
Cuire au four de 10 à 15 minutes, ou jusqu'à ce qu'il soit légèrement doré et al dente.

4 Mettre le chou-fleur dans le récipient d'un robot culinaire.
Actionner l'appareil par touches successives pour émietter le
chou-fleur en morceaux de la grosseur de grains de riz. Mettre
dans un bol allant au micro-ondes. Ajouter les câpres et remuer.
Couvrir et réserver.

5 Étaler les filets de truite sur une plaque, la peau dessous, et
les badigeonner du reste de l'huile (2 c. à thé). Cuire au four 7 ou
8 minutes, ou jusqu'à ce que la pointe d'un couteau maintenue
10 secondes dans la partie la plus épaisse des filets en ressorte
chaude. Napper de la sauce aux pruneaux. Réchauffer le chou-
fleur au micro-ondes et le servir avec les filets de truite et, si désiré, une salade de verdures.

FETTUCINES AU HOMARD

PRÉPARATION : 30 MINUTES • **CUISSON :** 20 MINUTES • 4 PORTIONS

beurre 2 c. à soupe
fenouil 500 ml (2 tasses), tranché finement
farine tout usage 4 c. à thé
vermouth blanc 125 ml (1/2 tasse)
crème 35 % 375 ml (1 1/2 tasse)
moutarde de Dijon 2 c. à thé
sel 1/4 c. à thé
homard cuit 225 g (la chair de 4 queues environ), haché grossièrement
fettucines frais 375 g
jus de citron 2 c. à thé
ciboulette fraîche au goût, ciselée

1 Dans une grande poêle, sur feu moyen, faire fondre le beurre. Y cuire le fenouil en remuant souvent jusqu'à ce qu'il ramollisse, environ 4 minutes. Ajouter la farine et cuire en remuant 1 ou 2 minutes. Ajouter le vermouth et le laisser évaporer complètement, environ 4 minutes. À l'aide d'un fouet, incorporer la crème, la moutarde de Dijon et le sel. Cuire en remuant sans arrêt jusqu'à ce que la sauce ait épaissi, environ 2 minutes. Ajouter les morceaux de homard à la sauce, remuer et laisser mijoter environ 3 minutes.

2 Entretemps, dans une grande casserole d'eau bouillante, sur feu vif, cuire les pâtes selon les instructions sur l'emballage (mais sans ajouter de sel à l'eau) jusqu'à ce qu'elles soient al dente, 3 ou 4 minutes. Les égoutter et les ajouter à la sauce avec le jus de citron. Mélanger. Parsemer de ciboulette.

POITRINE DE DINDE RÔTIE, CHUTNEY AU BACON ET AUX CANNEBERGES

PRÉPARATION : 10 MINUTES · **CUISSON :** 40 MINUTES · 4 PORTIONS

sel 1/4 c. à thé
poivre au goût
**poitrine de dinde désossée,
avec la peau** 750 g (1 2/3 lb)
bacon 4 tranches, hachées
  grossièrement
pommes Gala 3, coupées en dés
  grossiers
canneberges fraîches
  ou surgelées, 500 ml (2 tasses)
cassonade 80 ml (1/3 tasse)
jus d'orange 60 ml (1/4 tasse)
  (facultatif)

1 Placer une grille au centre du four et le préchauffer à 200 °C (400 °F). Déposer une grille dans un plat de cuisson de 23 x 33 cm (9 x 13 po).

2 Saler et poivrer la poitrine de dinde de chaque côté et la déposer sur la grille dans le plat, côté peau vers le haut. Répartir le bacon, les dés de pomme et les canneberges autour de la dinde.

3 Cuire au four jusqu'à ce que la peau de la poitrine de dinde soit bien dorée et qu'un thermomètre à viande inséré dans la partie la plus charnue indique 77 °C (170 °F), de 40 à 45 minutes. Transférer la poitrine sur une planche à découper, la couvrir de papier d'aluminium et la laisser reposer 10 minutes.

4 Entretemps, retirer la grille du plat. Ajouter la cassonade à la préparation de pommes et remuer pour la dissoudre. S'il n'y a pas assez de jus de cuisson, ajouter du jus d'orange ou de l'eau. Remettre la dinde dans le plat et la trancher. (Ou transférer la dinde dans un plat de service et verser le chutney dans un bol de service.)

TARTELETTES RENVERSÉES AU PANAIS ET AU CHÈVRE

PRÉPARATION : 25 MINUTES · **CUISSON :** 35 MINUTES · 4 PORTIONS

pâte feuilletée surgelée environ
160 g, décongelée

beurre 2 c. à soupe

panais 625 ml (2 1/2 tasses),
environ 8, émincés

sel et **poivre du moulin** au goût

fromage de chèvre non affiné
125 g, ramolli

œuf 1, battu

thym frais 1 c. à thé

poivre au goût

1 Sur un plan de travail fariné, abaisser la pâte feuilletée en 4 carrés d'environ 10 cm (4 po) de côté et 0,25 cm (1/8 po) d'épaisseur. Déposer sur une plaque à cuisson et réfrigérer.

2 Dans une poêle, sur feu moyen, faire fondre le beurre. Y faire revenir le panais en remuant de temps à autre, de 8 à 10 minutes ou jusqu'à ce qu'il soit légèrement caramélisé. Saler et poivrer. Laisser tiédir.

3 Entretemps, dans un bol, mélanger le fromage, l'œuf et le thym jusqu'à ce que la consistance soit lisse. Poivrer.

4 Préchauffer le four à 190 °C (375 °F). Répartir le panais dans 4 moules à tartelette antiadhésifs de 10 cm (4 po) de diamètre et presser pour bien tasser. Couvrir de la préparation au fromage. Déposer sur chaque moule une abaisse de pâte en pressant légèrement pour épouser le contour du moule. Cuire au four 25 minutes ou jusqu'à ce que les tartelettes soient bien dorées. Les laisser reposer 2 ou 3 minutes avant de les renverser sur les assiettes.

TAJINE D'AGNEAU AUX OLIVES ET AU CITRON CONFIT

PRÉPARATION : 15 MINUTES · **CUISSON :** 2 HEURES 50 MINUTES · 4 À 6 PORTIONS

huile d'olive 2 c. à soupe

pointe d'épaule d'agneau 1,25 kg
(2 3/4 lb) coupée en tranches
de 4 cm (1 1/2 po) d'épaisseur

sel et **poivre** au goût

oignon 1 gros, émincé

cumin moulu 1 c. à thé

ras-el-hanout 1 c. à thé (voir Note)

ail 3 gousses, écrasées

citron confit au sel 1/2 à 1, rincé,
coupé en morceaux et épépiné

olives vertes dénoyautées
ou entières, 20

gingembre frais 1 c. à soupe, râpé

safran quelques pistils

coriandre fraîche au goût, ciselée
(garniture) (facultatif)

1 Préchauffer le four à 135 °C (275 °F). Dans une grande casserole à fond épais, sur feu moyen, chauffer l'huile. Saisir les tranches d'agneau jusqu'à ce qu'elles soient bien colorées, environ 4 minutes de chaque côté – ne pas trop tasser la viande (procéder en deux fois au besoin). Saler très légèrement et poivrer. Réserver dans un grand bol.

2 Retirer l'excédent de gras de la casserole. Sur feu moyen-doux, y cuire l'oignon et le faire tomber, à couvert, environ 5 minutes. Ajouter le cumin, le ras-el-hanout et l'ail. Poursuivre la cuisson 30 secondes. Verser un peu d'eau et racler le fond de la casserole pour délayer les sucs. Ajouter le citron confit, les olives, le gingembre, le safran et l'agneau. Ajouter de l'eau chaude jusqu'à ce qu'elle couvre presque complètement la viande.

3 Couvrir et cuire au four 2 heures 30 minutes – retourner la viande à mi-cuisson. Rectifier l'assaisonnement au besoin. Lorsque le tajine est prêt, l'os se détache très facilement de la viande. Servir aussitôt sur du couscous et garnir de coriandre, si désiré.

NOTE

Le ras-el-hanout est un mélange marocain contenant des dizaines d'ingrédients : épices, poivres, fleurs séchées. On le trouve dans certaines épiceries fines. En voici une recette simplifiée à faire soi-même. Utiliser 9 clous de girofle entiers, 1/2 c. à thé de piment de Cayenne, 1 bâton de cannelle et 1 c. à thé de chacune des épices suivantes : cumin, graines de carvi, cardamome, coriandre, muscade, gingembre, piment de la Jamaïque, poivre en grains. Dans un poêlon, sur feu moyen, les faire griller à sec jusqu'à ce qu'elles dégagent leurs parfums. Laisser refroidir, puis réduire en poudre au mortier ou au moulin électrique. Conserver dans un contenant hermétique.

PILONS DE POULET ET POMMES DE TERRE À L'AIL ET AU ROMARIN

PRÉPARATION : 20 MINUTES · **ATTENTE :** 3 HEURES · **CUISSON :** 1 HEURE 30 MINUTES · 4 PORTIONS

pilons de poulet avec la peau 1,5 kg (3 1/4 lb)

pommes de terre grelots blanches et rouges 16, non pelées, lavées et brossées

oignons 3 de grosseur moyenne, pelés et coupés en quartiers (facultatif)

huile d'olive 125 ml (1/2 tasse)

vinaigre de vin rouge 2 c. à soupe

ail 2 gousses, écrasées

thym frais 1 c. à soupe

romarin frais 1 c. à soupe

sel 1 c. à soupe

poivre du moulin 1 c. à thé

sauce piquante au goût (facultatif)

1   Piquer la peau des pilons de poulet avec un couteau pointu. Déposer les pilons, les pommes de terre et, si désiré, les oignons dans un plat de cuisson de 23 x 33 cm (9 x 13 po) ou dans un grand sac de plastique épais à glissière.

2   Dans un petit bol, mélanger à la fourchette le reste des ingrédients sauf la sauce piquante. Verser sur le poulet et les pommes de terre. Mélanger. Couvrir le plat d'une pellicule plastique (ou fermer le sac hermétiquement). Laisser mariner au réfrigérateur au moins 3 heures ou jusqu'au lendemain.

3   Préchauffer le four à 200 °C (400 °F). Retirer la pellicule plastique du plat (ou verser tous les ingrédients dans un plat si l'on a utilisé un sac). Cuire au four environ 1 heure 30 minutes ou jusqu'à ce que le poulet soit bien doré et les pommes de terre cuites – retourner tous les morceaux deux fois pendant la cuisson. Servir avec une sauce piquante, si désiré.

VARIANTES

Remplacer les fines herbes fraîches par 1 c. à soupe d'herbes de Provence ou de cari.

Pour une version asiatique : omettre le vinaigre, le sel et les herbes. Ajouter dans la marinade 2,5 cm (1 po) de gingembre frais haché grossièrement, 4 c. à soupe de sauce soya, le jus et le zeste de 1 lime, 2 c. à soupe de cassonade et 1 c. à thé de chili broyé.

POISSON-FRITES

PRÉPARATION : 35 MINUTES • **CUISSON :** 15 MINUTES • 4 PORTIONS

SAUCE TARTARE
yogourt nature 10 % 3 c. à soupe
mayonnaise 2 c. à soupe
câpres 1 c. à soupe, hachées
petits cornichons extrafins
  salés 6, hachés finement
petits cornichons extrafins
  sucrés 4, hachés finement
huile d'olive 2 c. à soupe
citron 1/2, le jus (1 c. à thé) et le zeste
échalote française 1/2, hachée
  finement
persil italien frais 1 c. à soupe,
  haché
ciboulette fraîche 1 c. à soupe,
  hachée
estragon frais 1 c. à soupe, haché
sel et **poivre** au goût

FRITES
huile d'arachide (pour la friture)
pommes de terre Russet
  4 grosses
sel et **poivre** au goût

POISSON
huile d'arachide (pour la friture)
farine tout usage 170 g (1 1/4 tasse)
bière rousse ou blonde, 1 bouteille
  (341 ml)
sel 1/4 c. à thé
poivre 1/4 c. à thé
morue charbonnière 1 filet
  d'environ 675 g (1 1/2 lb), coupé en
  morceaux de 5 x 10 cm (2 x 4 po)
sel et **poivre** au goût

1 Préchauffer le four à 90 °C (200 °F). Pour la préparation de la sauce tartare : mélanger tous les ingrédients dans un bol. Réserver au réfrigérateur.

2 Pour la préparation des frites : utiliser une friteuse (l'usage d'une marmite est dangereux). Y mettre de l'huile. Chauffer jusqu'à ce que sa température atteigne 135 °C (275 °F).

3 Entretemps, peler les pommes de terre et les couper en bâtonnets de 1 cm (1/2 po). Les rincer sous l'eau froide. Bien éponger l'excès d'eau. Plonger les bâtonnets dans l'huile à friture 3 minutes. Réserver sur des essuie-tout. Augmenter la température de l'huile à 175 °C (350 °F). Cuire de nouveau les frites 3 minutes ou jusqu'à ce qu'elles soient bien dorées. Les mettre sur des essuie-tout et les éponger. Réserver au four. Saler et poivrer.

4 Pour la préparation du poisson : utiliser une friteuse (l'usage d'une marmite est dangereux). Chauffer l'huile qui a servi à cuire les pommes de terre jusqu'à ce que sa température atteigne 190 °C (375 °F). Entretemps, déposer 130 g (1 tasse) de farine dans un bol de taille moyenne. Ajouter environ les trois quarts de la bière et fouetter jusqu'à ce que le mélange soit lisse et homogène ; il doit napper le dos d'une cuillère. S'il est trop épais, ajouter le reste de la bière ; s'il est trop liquide, incorporer le reste de la farine. Saler et poivrer. Tremper chaque morceau de poisson dans ce mélange. Bien enrober.

5 Plonger les morceaux de poisson dans l'huile à friture, un à la fois, en les tenant quelques secondes par une extrémité pour ensuite les laisser aller complètement dans l'huile – attention aux éclaboussures. Cette opération empêchera le poisson de coller au fond de la friteuse. Cuire jusqu'à ce que la pâte soit bien dorée, de 2 à 5 minutes environ. Bien éponger avec des essuie-tout pour éliminer l'excès de gras. Servir aussitôt avec les frites et la sauce tartare.

POULETS DE CORNOUAILLES AUX ABRICOTS

PRÉPARATION : 10 MINUTES • **CUISSON :** 40 MINUTES • 4 PORTIONS

beurre 2 c. à soupe,
   à température ambiante
paprika 1/2 c. à thé
poulets de Cornouailles
   2 d'environ 750 g ch.
abricots 4, coupés en deux
confiture d'abricots 2 c. à soupe

1   Placer une grille au centre du four et le préchauffer à 200 °C (400 °F). Dans un petit bol, mélanger le beurre avec le paprika. Rincer les poulets de Cornouailles et bien les éponger avec des essuie-tout. Retirer et jeter les abats. Étendre délicatement le beurre au paprika entre la peau et la chair des poulets, ou sur la peau. Déposer les poulets dans un plat de cuisson de 23 x 33 cm (9 x 13 po). Fixer les ailes sous les poulets et ficeler les cuisses, si désiré. Répartir les abricots tout autour.

2   Cuire au four jusqu'à ce que les poulets soient bien dorés, environ 30 minutes. Dans un petit bol, mélanger la confiture d'abricots avec 1 c. à soupe d'eau chaude et en badigeonner les poulets. Poursuivre la cuisson de 10 à 15 minutes, ou jusqu'à ce qu'un thermomètre inséré dans la partie la plus charnue d'une cuisse indique 77 °C (170 °F). Transférer les poulets sur une planche à découper. Couvrir de papier d'aluminium sans serrer, et laisser reposer au moins 5 minutes avant de servir. Couper chaque poulet en deux le long du bréchet (os central de la poitrine) – cela se fait facilement avec des ciseaux de cuisine. Répartir les demi-poulets et les morceaux d'abricot dans 4 assiettes. Arroser d'un peu de jus de cuisson.

CHOU FARCI AU SAUMON ET AU POIREAU

PRÉPARATION : 30 MINUTES • **CUISSON :** 30 MINUTES • 4 PORTIONS

SAUCE AU YOGOURT CITRONNÉE

yogourt nature 125 ml (1/2 tasse)
citron 1/2, le zeste, râpé finement, et le jus
sirop d'érable 2 c. à thé
fines herbes fraîches (coriandre, menthe, ciboulette, aneth) 2 c. à soupe en tout, ciselées (voir Note)
sel au goût

beurre 1 c. à soupe
poireaux 1 ou 2, les parties blanche et vert tendre, coupés en 2 dans le sens de la longueur et émincés, 500 ml (2 tasses)
sel et **poivre du moulin** au goût
chou de Savoie ou chou vert, 8 grandes feuilles
saumon 4 pavés d'environ 140 g ch., sans la peau
beurre environ 2 c. à soupe, fondu

1   Pour la préparation de la sauce au yogourt citronnée : dans un petit bol, mélanger tous les ingrédients. Réserver au frigo. (La sauce peut être préparée la veille.)

2   Dans une poêle, sur feu moyen-doux, faire fondre le beurre et y faire suer les poireaux de 6 à 8 minutes, sans les laisser colorer, en remuant. Saler et poivrer. Laisser tiédir.

3   Dans une grande casserole d'eau bouillante salée, blanchir les feuilles de chou 30 secondes, deux à la fois, puis les plonger aussitôt dans un grand bol d'eau glacée. Éponger délicatement les feuilles avec des essuie-tout et couper la grosse nervure au centre.

4   Préchauffer le four à 190 °C (375 °F). Saler et poivrer le saumon. Sur un plan de travail, superposer deux feuilles de chou tête-bêche. Y déposer un quart des poireaux, puis un pavé de saumon. Replier un côté d'une feuille de chou sur le saumon puis rouler le tout en prenant soin de terminer avec le côté plié en dessous. Répéter avec le reste des ingrédients.

5   Beurrer une plaque de cuisson. Y déposer les 4 rouleaux de chou farci, côté plié en dessous. Les badigeonner légèrement de beurre fondu et cuire au four de 15 à 18 minutes. Sortir la sauce au yogourt du frigo pour qu'elle soit à température ambiante au moment de la servir avec le chou farci.

NOTE
À défaut des quatre fines herbes indiquées, on peut utiliser celles que l'on a sous la main.
S'il s'agit seulement de menthe ou d'aneth, 1 c. à soupe suffit.

COURGES POIVRÉES FARCIES

PRÉPARATION : 20 MINUTES • **CUISSON :** 1 HEURE 35 MINUTES • 6 PORTIONS

huile d'olive environ 3 c. à soupe
courges poivrées 3, coupées
en deux à la verticale, les graines
et les filaments retirés
pignons 3 c. à soupe
champignons de Paris 1 barquette
(227 g), émincés
oignons rouges 2, émincés
ail 2 ou 3 gousses, pressées
sel et **poivre** au goût
veau haché 350 g (3/4 lb)
chapelure 80 ml (1/3 tasse)
parmesan 310 ml (1 1/4 tasse), râpé
tomates séchées dans l'huile
80 ml (1/3 tasse), égouttées
et émincées
œufs 2, légèrement battus
basilic frais 3 c. à soupe, ciselé
piment de Cayenne moulu
1 pincée
provolone 500 ml (2 tasses), râpé
coulis de tomates au goût
(facultatif)

1   Préchauffer le four à 175 °C (350 °F). Badigeonner de 2 c. à soupe d'huile d'olive le pourtour de la chair des moitiés de courge. Les déposer sur une lèchefrite, côté coupé vers le bas. Cuire au four 40 minutes. (On peut les cuire la veille, si désiré.)

2   Dans une grande poêle antiadhésive, sur feu moyen, chauffer les pignons à sec, en remuant, jusqu'à ce qu'ils soient dorés, environ 3 minutes. Transférer les pignons dans un bol et les laisser refroidir. Dans la même poêle, sur feu moyen-vif, chauffer les champignons à sec environ 3 minutes. Ajouter 1 c. à soupe d'huile d'olive et les oignons. Faire revenir jusqu'à ce que les oignons soient translucides, environ 3 minutes. Ajouter l'ail et poursuivre la cuisson 1 minute. Saler et poivrer. Laisser tiédir.

3   Dans un bol, mélanger le veau, les pignons, la chapelure, le parmesan, le mélange champignons-oignons, les tomates séchées, les œufs et le basilic. Saler et poivrer.

4   Piquer en plusieurs endroits la cavité des courges avec une fourchette. Saler et parsemer de piment de Cayenne. Farcir du mélange de viande. Recouvrir du provolone. Cuire au four 45 minutes. Laisser reposer 3 minutes. Servir avec du coulis de tomates chaud, si désiré.

VARIANTE
Utiliser la courge Delicata ou une courge spaghetti de variété Oranghetti, Stripetti ou autre.

BOUTS DE CÔTES DE BŒUF GRILLÉS À LA CORÉENNE

PRÉPARATION : 20 MINUTES • **ATTENTE :** 12 HEURES • **CUISSON :** 10 MINUTES • 4 PORTIONS

**bouts de côtes de bœuf
de style L.A. kalbi** 2 kg (4 1/2 lb)
  (voir Note)
sauce soya 125 ml (1/2 tasse)
xérès sec 160 ml (2/3 tasse)
miel 160 ml (2/3 tasse)
ail 16 gousses, hachées finement
oignon 1 de grosseur moyenne,
  haché finement
huile de sésame grillé 60 ml
  (1/4 tasse)
graines de sésame 60 ml
  (1/4 tasse)
gingembre frais 2 c. à soupe, râpé
piment de Cayenne moulu
  1 c. à thé
poivre du moulin 1 c. à thé
oignon vert au goût, tranché
  en rondelles (garniture) (facultatif)

1   Rincer les bouts de côtes de bœuf à l'eau froide à quelques reprises. Les éponger avec des essuie-tout. Dans un grand bol, fouetter ensemble la sauce soya, le xérès, le miel, l'ail, l'oignon, l'huile et les graines de sésame, le gingembre, le piment de Cayenne et le poivre. Verser la marinade dans un grand sac de plastique à glissière. Mettre les bouts de côtes dans le sac et bien les enrober de la marinade. Retirer le maximum d'air du sac et le fermer hermétiquement. Laisser mariner au réfrigérateur toute la nuit.

2   Préchauffer le barbecue à feu moyen-vif et en huiler la grille. (Ou préchauffer le gril du four [*broil*].) Retirer les bouts de côtes du sac – réserver la marinade. Poser les bouts de côtes sur le gril et badigeonner une fois de la marinade. Faire griller, le couvercle fermé, environ 3 minutes de chaque côté (pour une viande mi-saignante) ou jusqu'au degré de cuisson désiré. (Ou mettre les bouts de côtes marinés sur une plaque tapissée de papier d'aluminium et les passer sous le gril du four, de 3 à 5 minutes de chaque côté.) Déposer les bouts de côtes dans un plat de service et les couper entre les os avec des ciseaux de cuisine. Garnir de rondelles d'oignon vert, si désiré.

NOTE

*Demander au boucher des bouts de côtes courtes à braiser et lui faire trancher en travers des côtes.
Les tranches devraient avoir environ 0,5 cm (1/4 po) d'épaisseur.*

PÉTONCLES À LA CRÉOLE

PRÉPARATION : 15 MINUTES · **CUISSON :** 50 MINUTES · 6 PORTIONS

**mélange de riz à grains longs et
   de riz sauvage** 310 ml (1 1/4 tasse)
bouillon de poulet condensé
   1 boîte (284 ml), non dilué
tomates 4 grosses
pétoncles 12 gros, épongés
sel 1 c. à thé
poivre au goût
beurre 60 ml (1/4 tasse)
farine tout usage 3 c. à soupe
jus de palourdes 1 bouteille
   (240 ml)
ail 4 gousses, hachées finement
céleri 2 branches, hachées
oignon 1 gros, haché
poivron vert 1, haché
thym frais 4 tiges
feuilles de laurier 2
tabasco 2 c. à thé
persil frais 60 ml (1/4 tasse), haché

1 Dans une grande casserole, mettre le riz, le bouillon et 500 ml (2 tasses) d'eau. Sur feu vif, amener à ébullition. Réduire le feu à doux, couvrir et cuire jusqu'à ce que le liquide soit absorbé, environ 30 minutes.

2 Dans un grand bol, râper les tomates – la peau se séparera d'elle-même de la pulpe. Jeter la peau. Déposer la pulpe dans un tamis et l'égoutter. Jeter le jus. Réserver la pulpe.

3 Assaisonner les pétoncles avec 1/2 c. à thé de sel et poivrer. Dans une poêle antiadhésive profonde, sur feu moyen-vif, faire fondre 2 c. à soupe de beurre et y faire dorer les pétoncles environ 2 minutes de chaque côté. Les transférer dans une assiette et les couvrir de papier d'aluminium pour les garder chauds.

4 Dans la poêle, mettre le reste du beurre et la farine en remuant au fouet. Cuire jusqu'à ce que le mélange dégage un arôme de noisette, environ 1 minute. Ajouter le jus de palourdes en raclant le fond de la poêle pour délayer les sucs. Ajouter l'ail, le céleri, l'oignon, le poivron, les tomates, le thym, les feuilles de laurier et 1/2 c. à thé de sel. Remuer. Lorsque la préparation commence à bouillir, réduire le feu à moyen, couvrir et laisser mijoter de 10 à 12 minutes. Retirer les tiges de thym et les feuilles de laurier. Ajouter le tabasco et le persil. Remuer. Déposer une bonne cuillerée de sauce dans 6 assiettes, couvrir de riz et garnir de 2 pétoncles par assiette. (Pour servir à table, procéder de la même façon, mais dans un grand plat de service.)

CARI DE LÉGUMES RÔTIS ET DE QUINOA

PRÉPARATION : 20 MINUTES · **CUISSON :** 25 MINUTES · 4 À 6 PORTIONS

quinoa 250 ml (1 tasse)

bouillon de légumes 430 ml (1 3/4 tasse)

beurre 1 c. à soupe

chou-fleur 750 ml (3 tasses), petits bouquets coupés en deux

poivron rouge ou jaune, 1, coupé en dés

pois sucrés (*sugar snap*) 115 g (1/4 lb), parés et coupés en deux, environ 125 ml (1/2 tasse)

pois chiches 500 ml (2 tasses), cuits maison, ou 1 boîte (540 ml), rincés et égouttés

huile d'olive 2 c. à soupe

ail 1 gousse, hachée

cari en poudre 2 à 3 c. à thé

sel au goût

coriandre fraîche 125 ml (1/2 tasse)

1 Préchauffer le four à 200 °C (400 °F). Rincer le quinoa dans une passoire fine jusqu'à ce que l'eau reste claire. Dans une casserole de grosseur moyenne, verser le bouillon. Ajouter le quinoa et le beurre. Couvrir et amener à ébullition sur feu moyen-vif. Réduire le feu à moyen et laisser mijoter 10 minutes. Retirer du feu et laisser reposer, à couvert, de 5 à 6 minutes ou jusqu'à ce que le bouillon ait été absorbé.

2 Entretemps, dans un grand bol, mettre le chou-fleur, le poivron, les pois sucrés, les pois chiches, l'huile d'olive, l'ail et le cari. Saler généreusement, bien mélanger, puis étendre sur une grande plaque à cuisson (les légumes ne doivent pas se chevaucher). Cuire au four 10 minutes.

3 Mélanger les légumes, le quinoa et la moitié de la coriandre. Rectifier l'assaisonnement au besoin. Garnir du reste de la coriandre.

TARTIFLETTES AUX PARFUMS D'ICI

PRÉPARATION : 15 MINUTES • **CUISSON :** 50 MINUTES • 4 PORTIONS

pommes de terre Yukon Gold
  4 grosses, environ 1 kg (2 1/4 lb)
lardons 250 g (1/2 lb)
oignons 3, émincés
vin blanc 250 ml (1 tasse)
crème à cuisson 35 %
  2 c. à soupe
**fromage québécois à pâte
  molle ou semi-ferme et
  à croûte lavée** (Migneron
  de Charlevoix, Rondoux, Sir Laurier
  d'Arthabaska, Pied-de-Vent,
  Comtomme ou L'Empereur)
  2 ou 3 petites meules d'environ
  150 à 200 g ch.
poivre du moulin au goût

1 Préchauffer le four à 175 °C (350 °F). Beurrer 4 cassolettes (plats individuels) ou un grand plat de cuisson de 23 x 33 cm (9 x 13 po). Dans une casserole d'eau bouillante salée, cuire les pommes de terre 20 minutes ou jusqu'à ce qu'elles soient presque cuites. Égoutter et laisser refroidir 10 minutes. Peler les pommes de terre et les couper en tranches d'environ 1 cm (1/2 po).

2 Dans une poêle antiadhésive, sur feu moyen, faire revenir les lardons 5 minutes. Ajouter les oignons et poursuivre la cuisson 5 minutes. Réserver.

3 Étaler la moitié des tranches de pomme de terre dans les cassolettes ou dans le grand plat. Couvrir de la moitié du mélange lardons-oignons. Répéter en faisant deux autres étages. Verser le vin et la crème sur le dessus. Couper les meules en deux, à l'horizontale. Les déposer sur les pommes de terre, croûte vers le haut, sans les superposer.

4 Cuire au four environ 20 minutes si l'on utilise 4 petits plats – 30 minutes si l'on utilise un grand plat – ou jusqu'à ce que le dessus soit bien doré. Poivrer généreusement.

LINGUINES AUX CREVETTES ET AU FETA

PRÉPARATION : 10 MINUTES • **CUISSON :** 25 MINUTES • 4 PORTIONS

linguines 1/2 paquet de 500 g
huile d'olive 2 c. à thé
grosses crevettes décortiquées surgelées 1 paquet (454 g), décongelées
oignon 1, haché
ail 2 gousses, hachées finement
thym séché 1/4 c. à thé
origan séché 1/4 c. à thé
poivre au goût
vin blanc 60 ml (1/4 tasse)
tomates en dés 1 boîte (796 ml), égouttées
olives kalamata 125 ml (1/2 tasse), dénoyautées et coupées en deux (voir Note)
câpres 1 c. à soupe, égouttées
feta 125 ml (1/2 tasse), émietté
persil frais 60 ml (1/4 tasse), haché

1   Dans une grande casserole d'eau bouillante, cuire les pâtes selon les instructions sur l'emballage (mais sans ajouter de sel à l'eau) jusqu'à ce qu'elles soient al dente, 7 ou 8 minutes.

2   Entretemps, dans une grande poêle antiadhésive, sur feu moyen-vif, chauffer 1 c. à thé d'huile d'olive. Y cuire les crevettes jusqu'à ce qu'elles soient rosées, de 4 à 6 minutes. Réserver dans une assiette et couvrir lâchement de papier d'aluminium pour les garder au chaud. Réduire le feu à moyen. Verser 1 c. à thé d'huile d'olive dans la poêle. Y faire suer l'oignon avec l'ail, le thym et l'origan, 2 ou 3 minutes. Poivrer. Ajouter le vin blanc, les tomates égouttées, les olives et les câpres. Amener à ébullition. Réduire le feu à moyen-doux, couvrir et laisser mijoter environ 5 minutes.

3   Égoutter les pâtes et les remettre dans la casserole. Ajouter la sauce, les crevettes et le feta. Remuer. Parsemer du persil.

NOTE
Pour dénoyauter les olives, les écraser avec le plat de la lame d'un couteau large.
Ouvrir avec les doigts – le noyau sortira facilement.

116

PIZZAS INDIENNES
AUX POIS CHICHES

PRÉPARATION : 20 MINUTES • **CUISSON :** 20 MINUTES • 4 PORTIONS

huile de canola 1 c. à soupe
oignon 1, haché finement
gingembre frais 1 c. à soupe,
   haché finement
poivron rouge 1, coupé en dés
courgette 1, coupée en dés
pâte de cari tandoori 1 c. à soupe
pois chiches en conserve
   250 ml (1 tasse), rincés et égouttés
sel 1/4 c. à thé
pains naan 4
mozzarella 125 ml (1/2 tasse), râpée
coriandre fraîche 60 ml (1/4 tasse),
   hachée

SAUCE RAITA À LA LIME
yogourt 2 % 80 ml (1/3 tasse)
jus de lime 1 c. à soupe

1   Placer une grille au centre du four et le préchauffer à 200 °C (400 °F). Dans une grande poêle, sur feu moyen, chauffer l'huile. Y faire revenir l'oignon, le gingembre, le poivron et la courgette jusqu'à ce qu'ils soient tendres, environ 5 minutes. Ajouter la pâte de cari, 60 ml (1/4 tasse) d'eau, les pois chiches et le sel. Cuire 2 minutes. Écraser délicatement les pois chiches dans la poêle.

2   Déposer les pains naan sur une plaque à cuisson. Étendre sur les pains le mélange aux pois chiches. Parsemer de la mozzarella. Cuire au four jusqu'à ce que le fromage soit fondu, environ 10 minutes.

3   Pour la préparation de la sauce raita à la lime : dans un petit bol, mélanger le yogourt, le jus de lime et 1 c. à soupe d'eau. Arroser les pizzas de cette sauce et parsemer de la coriandre.

CÔTES LEVÉES AU CHILI ET AU CAFÉ

PRÉPARATION : 20 MINUTES · **CUISSON :** 1 HEURE · **ATTENTE :** 2 HEURES · 8 PORTIONS

ail 8 gousses

assaisonnement au chili
4 c. à soupe

vinaigre balsamique 2 c. à soupe

cassonade 2 c. à soupe + 250 ml
(1 tasse)

piment de Cayenne moulu
1 c. à thé (facultatif)

sel 1 c. à thé

côtes levées de dos de porc
1,5 kg (3 1/4 lb)

bière blonde 2 bouteilles
de 341 ml ch.

vinaigre de cidre 250 ml (1 tasse)

café instantané en granules
60 ml (1/4 tasse)

sambal oelek ou sauce sriracha,
2 c. à soupe (voir Note)

1   Dans le récipient d'un robot culinaire, mettre l'ail, 2 c. à soupe d'assaisonnement au chili, le vinaigre balsamique, 2 c. à soupe de cassonade, le piment de Cayenne et le sel. Actionner l'appareil par touches successives jusqu'à ce que le mélange forme une pâte. Étendre cette pâte sur toute la surface des côtes levées. Réfrigérer au moins 2 heures ou jusqu'au lendemain.

2   Déposer les côtes levées dans une très grande casserole. Verser la bière (les côtes levées ne seront pas submergées). Amener à ébullition sur feu vif, puis réduire le feu à moyen-doux, couvrir et laisser mijoter de 45 minutes à 1 heure, ou jusqu'à ce que la viande soit tendre à la fourchette – retourner les côtes levées de temps à autre. Les déposer dans une grande assiette. Jeter le liquide de cuisson.

3   Préchauffer le barbecue à feu moyen-doux et en huiler la grille. Dans une casserole de grosseur moyenne, mélanger le vinaigre de cidre avec 250 ml (1 tasse) de cassonade, le café instantané, 2 c. à soupe d'assaisonnement au chili et le sambal oelek. Amener à ébullition. Réduire le feu à moyen-vif et laisser bouillir à découvert jusqu'à ce que la sauce ait presque réduit de moitié, environ 6 minutes.

4   Badigeonner les côtes levées de sauce. Faire griller au barbecue de 10 à 12 minutes ou jusqu'à ce qu'elles soient glacées et chaudes – les retourner et les badigeonner de sauce souvent.

NOTE

Le sambal oelek est une pâte de piments forts. On le trouve en épicerie, au rayon des produits asiatiques.

OMBLE CHEVALIER EN CROÛTE DE SÉSAME ET NOUILLES SOBA

PRÉPARATION : 20 MINUTES · **CUISSON :** 10 MINUTES · 4 PORTIONS

filets d'omble chevalier
  2, de 280 g ch., avec la peau
sel 1/8 c. à thé
poivre du moulin au goût
sauce hoisin 3 c. à soupe
mélange de graines de sésame
  noir et blanc 125 ml (1/2 tasse)
vinaigre de riz 2 c. à soupe
gingembre frais 1 1/2 c. à thé,
  émincé
sauce sriracha 1/2 c. à thé
nouilles soba (nouilles de sarrasin)
  3 paquets de 30 g ch.
edamames écossés congelés
  250 ml (1 tasse)
huile de canola 2 c. à thé
huile de sésame grillé 1 c. à thé

1   Saler légèrement les filets d'omble. Poivrer. Enduire légèrement les filets, côté chair, de 1 c. à soupe de sauce hoisin. Mettre les graines de sésame dans une grande assiette. Y déposer les filets de poisson, côté chair dessous, pour que les graines y collent.

2   Dans un grand bol, fouetter 2 c. à soupe de sauce hoisin, le vinaigre de riz, le gingembre et la sauce sriracha jusqu'à ce que la préparation soit bien mélangée.

3   Dans une casserole de grosseur moyenne, faire bouillir de l'eau. Y cuire les nouilles soba et les edamames jusqu'à ce qu'ils soient al dente, environ 4 minutes. Égoutter et rincer sous l'eau froide. Égoutter de nouveau soigneusement. Ajouter les nouilles et les edamames à la préparation de sauce hoisin. Mélanger jusqu'à ce qu'ils soient enrobés.

4   Dans une grande poêle, sur feu moyen-vif, chauffer l'huile de canola et l'huile de sésame. Ajouter les filets, le côté couvert de graines de sésame dessous. Cuire jusqu'à ce que les filets soient dorés, de 5 à 7 minutes – les retourner à mi-cuisson. Servir les filets sur le mélange de nouilles et d'edamames.

SALADES
& À-CÔTÉS

CAROTTES GLACÉES

PRÉPARATION : 5 MINUTES · **CUISSON :** 8 MINUTES · 6 PORTIONS

petites carottes 750 g (1 2/3 lb),
environ 2 bottes (voir Notes)
beurre 2 c. à soupe
miel 1 c. à thé
sel 1/4 c. à thé

1 Remplir partiellement d'eau une grande casserole. Sur feu vif, porter à ébullition. Ajouter les carottes et cuire jusqu'à ce qu'elles soient tendres, de 3 à 7 minutes. Les égoutter et jeter l'eau de cuisson (ou la garder pour un usage ultérieur comme la préparation d'une soupe).

2 Mettre les carottes dans une poêle ou les remettre dans la casserole. Ajouter le beurre, le miel et le sel. Cuire sur feu moyen jusqu'à ce que les carottes soient glacées, environ 3 minutes. Servir aussitôt.

NOTES

Les carottes fraîchement cueillies n'ont pas besoin d'être pelées.
En règle générale, un brossage suffit.

Si les carottes sont plus grosses que la taille d'un doigt, les couper en deux ou en quatre
dans le sens de la longueur pour une cuisson plus rapide.

SALADE DE COUSCOUS AUX PISTACHES ET AUX AMANDES

PRÉPARATION : 20 MINUTES · **CUISSON :** 25 MINUTES · 6 PORTIONS

VINAIGRETTE AU TAHINI

tahini (beurre de sésame)
3 c. à soupe
jus de citron 2 c. à soupe
sel 1/8 c. à thé

couscous israélien 250 ml (1 tasse)
(voir Note)
amandes entières avec la peau
60 ml (1/4 tasse), hachées
grossièrement
pistaches 60 ml (1/4 tasse),
hachées grossièrement
huile d'olive 1 c. à soupe
aubergine 1, coupée en gros cubes
ail 2 gousses, hachées finement
sel 1/8 c. à thé
persil frais 125 ml (1/2 tasse), haché
graines de grenade 125 ml
(1/2 tasse)

1 Pour la préparation de la vinaigrette au tahini : dans un grand bol, mélanger au fouet le tahini, 60 ml (1/4 tasse) d'eau, le jus de citron et le sel jusqu'à ce que la vinaigrette soit lisse.

2 Dans une grande casserole d'eau bouillante, cuire le couscous en suivant les instructions sur l'emballage (mais sans ajouter de sel à l'eau) jusqu'à ce qu'il ait complètement absorbé l'eau, environ 10 minutes.

3 Dans une grande poêle antiadhésive, sur feu moyen-vif, faire griller les amandes et les pistaches en remuant souvent, environ 5 minutes. Laisser refroidir dans un bol.

4 Dans la poêle, sur feu moyen, chauffer l'huile d'olive. Y cuire l'aubergine, en remuant souvent, jusqu'à ce qu'elle ait ramolli, environ 7 minutes – ajouter l'ail et le sel 3 minutes avant la fin de la cuisson. Ajouter la préparation d'aubergine à la vinaigrette et mélanger. Ajouter le couscous et le persil et remuer. Parsemer des noix grillées et des graines de grenade.

NOTE

On trouve le couscous israélien dans certains supermarchés, magasins d'aliments naturels et épiceries fines. Son grain est plus gros que celui du couscous maghrébin.

TIAN DE TOMATES ET DE COURGETTES

PRÉPARATION : 15 MINUTES • **ATTENTE :** 10 MINUTES • **CUISSON :** 1 HEURE • 4 PORTIONS

tomates italiennes 8 ou 9
 d'environ 4 cm (1 1/2 po) de diamètre
courgettes jaunes 2 ou 3 d'environ
 4 cm (1 1/2 po) de diamètre
ail 3 gousses, pelées et tranchées
 très finement
thym frais 1 c. à thé, haché finement
 + un peu plus, au goût (garniture)
huile d'olive 60 ml (1/4 tasse)
sel et **poivre du moulin** au goût

1 Préchauffer le four à 175 °C (350 °F). Huiler un tian ou un autre plat à cuisson en céramique ou en pyrex peu profond d'environ 20 x 25 cm (8 x 10 po).

2 Couper la tête des tomates (du côté du pédoncule) et retirer l'eau de végétation en passant un doigt dans les cavités des tomates. Couper les tomates et les courgettes en un nombre égal de tranches d'environ 1 cm (1/2 po) d'épaisseur. Les mettre dans un grand bol. Ajouter l'ail, le thym et l'huile. Saler et poivrer. Mélanger délicatement.

3 Disposer les tranches de tomate et de courgette en alternance dans le plat, en les serrant à la verticale et en y insérant les tranches d'ail. Arroser avec l'huile restée dans le bol.

4 Cuire au four jusqu'à ce que les légumes soient tendres, environ 1 heure. Laisser reposer 10 minutes avant de servir. Garnir du thym.

VARIANTE

Remplacer la moitié ou la totalité des courgettes jaunes par des vertes.

SALADE D'AGRUMES, DE BETTERAVES ET DE TOMATES CERISES

PRÉPARATION : 20 MINUTES • 4 PORTIONS

oranges 2
pamplemousse rose ou sanguin, 1
betteraves rouges ou jaunes,
  6 petites
laitues mélangées (jeunes
  épinards, chou frisé, feuilles de
  betterave) 1,5 litre (6 tasses), tassées
**tomates cerises de couleurs
  variées** 500 ml (2 tasses),
  coupées en deux
oignon rouge 1/2, coupé
  en rondelles minces (facultatif)
amandes tranchées 60 ml
  (1/4 tasse), grillées
feta 100 g (2/3 tasse),
  coupé en morceaux
aneth frais 3 c. à soupe, haché

VINAIGRETTE MIMOSA
jus d'orange 160 ml (2/3 tasse)
huile d'olive 60 ml (1/4 tasse)
vinaigre de champagne
  ou vinaigre de vin blanc, 60 ml
  (1/4 tasse)
moutarde de Dijon 2 c. à thé
miel 2 c. à thé
sel 1/4 de c. à thé

1   Préchauffer le four à 200°C (400°F). Emballer les betteraves dans du papier d'aluminium et déposer la papillote sur une plaque à cuisson. Cuire au four 20 minutes ou jusqu'à ce que les betteraves soient tendres – le temps de cuisson variera selon leur grosseur et leur fraîcheur. Laisser refroidir et peler.

2   Retirer une tranche à chaque extrémité des oranges et du pamplemousse. Les peler à vif et les couper en rondelles minces. Couper les betteraves en deux, en quartiers ou en tranches.

3   Dans un plat de service, étager ou mélanger les laitues, les tranches d'agrumes et de betterave, les tomates et les rondelles d'oignon. Garnir des amandes, du feta et de l'aneth.

4   Pour la préparation de la vinaigrette mimosa : dans un petit bol, fouetter le jus d'orange avec l'huile, le vinaigre, la moutarde de Dijon, le miel et le sel. Verser sur la salade au moment de servir.

132

ASPERGES PARFUMÉES À L'ORANGE

PRÉPARATION : 10 MINUTES • **CUISSON :** 5 MINUTES • **ATTENTE :** 15 MINUTES • 4 PORTIONS

asperges 2 bottes d'environ
325 g ch., parées
pacanes 20 demies, grillées
(voir Note) et concassées
grossièrement

VINAIGRETTE
À L'ORANGE ET AU MIEL
miel 1 c. à thé
orange 1/2, le jus et le zeste
sel au goût
huile de noix 2 c. à soupe
huile d'olive 1 c. à soupe
poivre au goût

1 Préparer un grand bol d'eau glacée. Cuire les asperges à la vapeur jusqu'à ce qu'elles soient tendres, de 4 à 6 minutes. Les plonger dans l'eau glacée. Dès qu'elles sont refroidies, après environ 3 minutes, les égoutter et les éponger avec des essuie-tout.

2 Pour la préparation de la vinaigrette à l'orange et au miel : dans un grand bol, mélanger le miel avec le jus et le zeste d'orange. Saler. Ajouter les huiles en fouettant. Poivrer.

3 Ajouter les asperges et remuer. Laisser reposer environ 15 minutes. Au moment de servir, garnir des pacanes grillées.

NOTE
Pour griller les pacanes : dans une poêle, sur feu moyen, chauffer les noix en les remuant souvent.
Surveiller la cuisson – dès qu'elles dégagent leur parfum, les transférer dans une assiette.

ENDIVES BRAISÉES
À LA SAUCE MORNAY

PRÉPARATION : 5 MINUTES • **CUISSON :** 40 MINUTES • 8 PORTIONS

SAUCE MORNAY
lait 3,25 % 500 ml (2 tasses)
feuille de laurier 1
beurre non salé 2 1/2 c. à soupe
farine tout usage 2 1/2 c. à soupe
gruyère 250 g (1 tasse), râpé
sel et **poivre** au goût

huile d'olive ou beurre, 2 c. à soupe
endives 8 à 10, coupées en deux
  dans le sens de la longueur
thym frais 8 à 10 branches
  (facultatif)

1 Pour la préparation de la sauce Mornay : dans une petite casserole, amener le lait à ébullition avec la feuille de laurier. Éteindre le feu. Couvrir et réserver pour laisser s'infuser la saveur.

2 Dans une casserole de grosseur moyenne, sur feu moyen-doux, faire fondre le beurre et y faire blondir légèrement la farine, environ 3 minutes. Retirer la feuille de laurier du lait. À l'aide d'un fouet, incorporer le lait à la préparation de farine et amener à ébullition. Réduire le feu à doux et laisser mijoter la sauce de 5 à 10 minutes. Éteindre le feu.

3 Incorporer le gruyère à la sauce en fouettant. Saler et poivrer. Couvrir d'une pellicule plastique et réserver. (La sauce se conserve 2 jours au réfrigérateur.)

4 Préchauffer le four à 175 °C (350 °F). Dans une poêle, sur feu moyen, chauffer l'huile. Y cuire les endives, côté coupé dessous, jusqu'à ce qu'elles soient bien dorées. Les transférer dans un plat de cuisson ou les répartir dans des plats individuels. Saler, poivrer et recouvrir de sauce Mornay. Garnir de branches de thym, si désiré. Braiser au four jusqu'à ce que la préparation soit bouillonnante et colorée, de 30 à 40 minutes. (Une fois dorées à la poêle, les endives peuvent être conservées au frigo, avec ou sans la sauce, jusqu'au lendemain. Les laisser revenir à la température ambiante avant l'étape du braisage – sinon, prolonger le temps de cuisson au four de 10 minutes.)

NOTE

Recette de Seth Gabrielse et Michelle Marek,
chefs du Labo culinaire de la Société des arts technologiques (SAT), à Montréal.

SALADE DE CHOUX DE BRUXELLES À LA POMME ET AUX NOIX

PRÉPARATION : 20 MINUTES • **CUISSON :** 5 MINUTES • 4 PORTIONS

noix de Grenoble 125 ml (1/2 tasse), hachées finement

graines de citrouille 60 ml (1/4 tasse)

zeste de citron 1 1/2 c. à thé

jus de citron 3 c. à soupe

moutarde de Dijon 1 c. à thé

sel 1/2 c. à thé

poivre au goût

huile d'olive 5 c. à soupe

pomme verte 1 grosse, évidée, coupée en quartiers

choux de Bruxelles 20, parés

champignons café 5 gros, le pied enlevé

parmesan 60 ml (1/4 tasse), râpé

1 Dans une poêle, sur feu moyen-vif, faire griller les noix de Grenoble et les graines de citrouille en les remuant souvent, environ 5 minutes. Surveiller la cuisson – dès qu'elles dégagent leur parfum, les transférer dans une assiette.

2 Dans un grand bol, mélanger au fouet le zeste et le jus de citron, la moutarde de Dijon et le sel. Poivrer. Incorporer graduellement l'huile d'olive. Réserver.

3 À l'aide d'un robot culinaire muni d'un disque à trancher, couper en tranches fines la pomme, les choux de Bruxelles et les champignons. (Ou encore les trancher finement à la mandoline ou au couteau.) Les ajouter à la vinaigrette et mélanger délicatement. Ajouter les noix de Grenoble et les graines de citrouille. Saupoudrer de parmesan.

PILAF DE QUINOA
AUX HARICOTS MUNGO ET
AUX NOISETTES GRILLÉES

PRÉPARATION : 15 MINUTES • **CUISSON :** 25 MINUTES • 4 PORTIONS

oignon 1, haché finement
quinoa rouge ou blanc, 250 ml
  (1 tasse), rincé à fond et égoutté
bouillon de légumes 375 ml
  (1 1/2 tasse)
haricots mungo en conserve
  ou autre légumineuse, 1 boîte
  (540 ml), rincés et égouttés
noisettes au goût, grillées
huile d'olive au goût
zeste d'orange au goût
menthe fraîche au goût, hachée
sel et **poivre** au goût

1 Dans une casserole de grosseur moyenne, sur feu moyen, faire suer l'oignon dans de l'huile en remuant fréquemment, environ 3 minutes. Ajouter le quinoa et le faire griller en remuant, environ 5 minutes. Ajouter le bouillon. Couvrir et porter à ébullition, puis baisser le feu à doux. Laisser mijoter environ 15 minutes.

2 Laisser reposer à couvert 5 minutes. Ajouter les haricots, les noisettes, l'huile d'olive, le zeste d'orange et la menthe. Saler et poivrer. Remuer.

SALADE D'ENDIVES
AUX PISTACHES ET AU FETA

PRÉPARATION : 10 MINUTES • 4 À 6 PORTIONS

VINAIGRETTE À L'ÉRABLE
huile d'olive 3 c. à soupe
huile de noix ou huile de pistache,
 d'argan ou d'olive, 2 c. à soupe
vinaigre à l'érable ou vinaigre
 de cidre, 2 c. à soupe
sirop d'érable 1 c. à soupe
moutarde à l'ancienne 1 c. à thé
sel et **poivre du moulin** au goût

endives rouges ou blanches, ou un
 mélange des deux, 4
pistaches non salées 80 ml
 (1/3 tasse), concassées
 grossièrement
feta ou fromage de chèvre frais non
 affiné, 80 ml (1/3 tasse), émietté
poivre rose au goût, moulu
 grossièrement

1 Pour la préparation de la vinaigrette à l'érable : dans un bol, mélanger au fouet les huiles, le vinaigre, le sirop d'érable et la moutarde. Saler et poivrer. Réserver.

2 Défaire les endives en feuilles et les trancher, si désiré. Dans un bol, mélanger les endives avec la vinaigrette. Disposer la salade dans une assiette de service ou des assiettes individuelles. Garnir des pistaches et du feta. Parsemer de poivre rose.

SALADE DE CHOU À L'ASIATIQUE

PRÉPARATION : 15 MINUTES • **ATTENTE :** 15 MINUTES • 8 PORTIONS

vinaigre de riz assaisonné
125 ml (1/2 tasse) (voir Note)

sucre 1 c. à soupe

pâte de miso blanc 1 c. à soupe

gingembre 2 c. à thé, râpé
finement

sauce sriracha 1 c. à thé

ail 1 gousse, hachée finement

chou nappa 1,5 litre (6 tasses),
tranché finement

carottes 2 grosses, râpées

oignons verts 1 botte, tranchés
finement

1 Dans un grand bol, fouetter le vinaigre avec le sucre, la pâte de miso, le gingembre, la sauce sriracha et l'ail. Ajouter le chou, les carottes et les oignons verts. Mélanger pour bien enrober. Laisser reposer au moins 15 minutes avant de servir. Cette salade se conserve au réfrigérateur jusqu'au lendemain.

NOTE
Le vinaigre de riz assaisonné est vendu dans les épiceries asiatiques et dans certains supermarchés. On peut aussi le préparer soi-même : dissoudre 3 c. à soupe de sucre et 1 c. à thé de sel dans 125 ml (1/2 tasse) de vinaigre de riz.

RATATOUILLE DE COURGE

PRÉPARATION : 30 MINUTES • **CUISSON :** 35 MINUTES • 3 LITRES (12 TASSES)

courgettes 2, coupées
 en demi-rondelles
aubergine 1 grosse,
 coupée en morceaux
poivron rouge 1, haché
 grossièrement
poivron vert 1, haché grossièrement
poivron jaune 1, haché
 grossièrement
poireaux 2 ou 3, la partie blanche
 seulement, coupés en deux dans
 le sens de la longueur, puis tranchés
 finement
courge Butternut 1 petite, pelée
 et épépinée, coupée en morceaux
tomates cerises 1 barquette (227 g)
huile d'olive 60 ml (1/4 tasse)
 + 3 c. à soupe
basilic séché 2 c. à thé
thym séché 1 c. à thé
romarin séché 1 c. à thé
sel 1 c. à thé
citron 1, le jus seulement
ail 2 gousses, hachées
sucre 1 c. à thé

1 Placer une grille dans le tiers supérieur du four et l'autre dans le tiers inférieur. Préchauffer le four à 200 °C (400 °F).

2 Mettre tous les légumes et les tomates dans un très grand bol. Ajouter 60 ml (1/4 tasse) d'huile d'olive, le basilic, le thym, le romarin et le sel. Remuer pour enrober. Répartir les légumes sur 2 plaques.

3 Faire griller au four jusqu'à ce que la courge soit tendre sans être trop molle, de 35 à 45 minutes – intervertir les plaques et remuer les légumes à mi-cuisson. Dans un petit bol, mélanger le jus de citron, l'ail et le sucre. Ajouter 3 c. à soupe d'huile d'olive en fouettant. Mettre la ratatouille dans un grand bol, arroser de la moitié de la vinaigrette et remuer pour enrober. Goûter et ajouter de la vinaigrette au goût. Servir la ratatouille chaude ou à température ambiante. Elle se conservera 2 jours au réfrigérateur.

SALADE TIÈDE DE POMMES DE TERRE RATTES

PRÉPARATION : 20 MINUTES • **CUISSON :** 15 MINUTES • 4 PORTIONS

pommes de terre rattes
  450 g (1 lb)
moutarde de Dijon 2 c. à soupe
vinaigre de cidre ou vinaigre de vin
  rouge, 2 c. à soupe
sel et **poivre du moulin** au goût
huile d'olive 80 ml (1/3 tasse)
oignon rouge 125 ml (1/2 tasse),
  émincé
tomates cerises 250 ml (1 tasse),
  coupées en deux
basilic frais 250 ml (1 tasse),
  haché finement
cresson 1 botte, haché très
  grossièrement

1 Dans une grande casserole d'eau bouillante salée, cuire les pommes de terre de 15 à 20 minutes ou jusqu'à ce qu'une fourchette en transperce facilement la chair. Égoutter et laisser tiédir environ 5 minutes. Couper en tranches épaisses d'environ 1 cm (1/2 po).

2 Dans un grand bol, battre à la fourchette ou au fouet la moutarde et le vinaigre de cidre. Saler et poivrer. Verser l'huile d'olive en filet en fouettant constamment.

3 Ajouter les pommes de terre tièdes et l'oignon à la vinaigrette. Mélanger délicatement. Au moment de servir, ajouter les tomates, le basilic et le cresson.

SALADE DE GRAINS DE BLÉ AU CHOU FRISÉ ET AUX CANNEBERGES

PRÉPARATION : 10 MINUTES • **CUISSON :** 35 MINUTES • 6 PORTIONS

grains de blé mou 250 ml (1 tasse)
(voir Note)

canneberges séchées 125 ml
(1/2 tasse)

huile d'olive extra vierge 80 ml
(1/3 tasse)

vinaigre balsamique 3 c. à soupe

sel 1/2 c. à thé

poivre au goût

chou frisé environ 1/2 petit chou,
les tiges et nervures centrales
retirées, haché, 1,25 litre (5 tasses)

oignon rouge 125 ml (1/2 tasse),
coupé en brunoise (très petits dés)

poivron jaune 1, coupé en dés

1   Rincer les grains de blé et les mettre dans une casserole de grosseur moyenne. Y verser 2 litres (8 tasses) d'eau et remuer. Amener à ébullition sur feu vif, puis réduire le feu à moyen-vif. Couvrir et cuire jusqu'à ce que les grains de blé soient tendres, de 30 à 35 minutes – ajouter les canneberges séchées 2 minutes avant la fin de la cuisson et remuer. Égoutter et rincer sous l'eau froide.

2   Dans un grand bol, fouetter l'huile d'olive avec le vinaigre balsamique et le sel. Poivrer. Ajouter la préparation de grains de blé, le chou, l'oignon et le poivron. Remuer. Cette salade se conservera au réfrigérateur jusqu'au lendemain.

NOTE

On trouve les grains de blé mou dans la plupart des boutiques d'aliments naturels. Au besoin, on peut les remplacer par 625 ml (2 1/2 tasses) de riz brun, de lentilles vertes ou de quinoa cuits.

VARIANTES

Remplacer les canneberges par des raisins secs. Utiliser du chou chinois plutôt que du chou frisé.

SALADE TIÈDE
DE COURGETTES GRILLÉES

PRÉPARATION : 10 MINUTES • **CUISSON :** 16 MINUTES • 4 PORTIONS

VINAIGRETTE AU
BALSAMIQUE ET À L'ORIGAN
sel au goût
vinaigre balsamique 60 ml
 (1/4 tasse)
huile d'olive extra vierge 60 ml
 (1/4 tasse)
origan frais 1 c. à thé
poivre au goût

courgettes vertes 2, coupées en
 longues tranches de 0,5 cm (1/4 po)
 d'épaisseur
courgettes jaunes 2, coupées en
 longues tranches de 0,5 cm (1/4 po)
 d'épaisseur
pignons 3 c. à soupe, grillés
 (voir Note)
parmesan 40 g, en copeaux,
 1/2 tasse
menthe fraîche au goût, hachée
tomates cerises au goût, coupées
 en deux (facultatif)

1 Préchauffer le barbecue à feu moyen et en huiler la grille. (Ou préchauffer le four à 200 °C [400 °F], ou chauffer une poêle, de préférence à fond cannelé, sur feu moyen.)

2 Pour la préparation de la vinaigrette au balsamique et à l'origan : dans un grand bol, fouetter du sel dans le vinaigre jusqu'à ce qu'il soit dissous. Ajouter l'huile, l'origan et du poivre en continuant à fouetter.

3 Ajouter les courgettes à la vinaigrette. Mélanger délicatement pour bien les enrober. Retirer les courgettes du bol en les égouttant. Réserver la vinaigrette. Faire griller les courgettes au barbecue, le couvercle fermé, jusqu'à ce qu'elles soient tendres, de 6 à 8 minutes – les retourner à mi-cuisson. (Ou cuire au four ou à la poêle.)

4 Déposer les courgettes dans un grand plat et napper de vinaigrette. Garnir des pignons, du parmesan, de menthe et, si désiré, de tomates cerises.

NOTE

Pour faire griller les pignons : dans une poêle, sur feu moyen-doux, chauffer les pignons en les remuant souvent. (Ou cuire au four à 135 °C [275 °F] environ 10 minutes.) Surveiller la cuisson – dès qu'ils commencent à dorer, les transférer dans une assiette.

BETTERAVES RÔTIES
AVEC LEURS FEUILLES

PRÉPARATION : 20 MINUTES · **CUISSON :** 1 HEURE 5 MINUTES · **ATTENTE :** 10 MINUTES · 6 PORTIONS

betteraves 2 bottes, avec leurs feuilles, environ 1,5 kg (3 1/4 lb)
jus de citron 80 ml (1/3 tasse)
huile d'olive 80 ml (1/3 tasse)
sel 1/4 c. à thé

1   Préchauffer le four à 200 °C (400 °F). Retirer les tiges des bette-raves et les réserver. S'il y a une importante différence de taille entre les betteraves, couper les plus grosses en deux et laisser les petites entières. Bien envelopper chaque betterave dans du papier d'aluminium et déposer les papillotes sur une plaque avec rebord. Cuire au four jusqu'à ce que les betteraves soient tendres, environ 1 heure. Sortir les papillotes du four, mais y lais-ser la plaque. Ouvrir les papillotes et laisser tiédir les betteraves, environ 10 minutes.

2   Dans un grand bol, fouetter le jus de citron, l'huile d'olive et le sel. Lorsque les betteraves ont assez tiédi pour être manipulées, les peler et les couper en gros quartiers. Ajouter les betteraves à la vinaigrette au citron et remuer pour les enrober.

3   Séparer les tiges des feuilles de betterave – jeter les tiges. Hacher grossièrement les feuilles de manière à en obtenir environ 3 litres (12 tasses). Les ajouter aux betteraves et mélanger. Remettre les betteraves et leurs feuilles sur la plaque chaude. Cuire 5 minutes ou jusqu'à ce que les feuilles tombent.

DÉJEUNERS
& BRUNCHS

TRIO DE SMOOTHIES

PRÉPARATION : 10 MINUTES PAR SMOOTHIE • ENVIRON 3 PORTIONS POUR CHAQUE RECETTE

SMOOTHIE AUX BLEUETS ET AUX NOIX DE CAJOU

noix de cajou non rôties et non salées 80 ml (1/3 tasse), trempées (voir Notes)
bleuets surgelés 250 ml (1 tasse)
yogourt nature 125 ml (1/2 tasse) + un peu plus (garniture)
lait 125 ml (1/2 tasse)
miel liquide 1 c. à soupe
jus de citron quelques gouttes
bleuets (garniture)
graines de chanvre (garniture)

SMOOTHIE TROPICAL AU KÉFIR

mangues Ataulfo ou autres mangues, 2, coupées en morceaux + un peu plus, en petits cubes (garniture)
papaye 250 ml (1 tasse), coupée en dés + un peu plus, en petits cubes (garniture)
kéfir nature 500 ml (2 tasses)
sirop d'érable 2 c. à soupe
jus de lime 1/2 c. à thé
gingembre frais 1/4 c. à thé, râpé
zeste de lime (garniture)
flocons de noix de coco (garniture)

SMOOTHIE AUX FRAISES, À LA GRENADE ET AUX GRAINES DE CHIA

fraises 250 ml (1 tasse) + un peu plus (garniture)
yogourt nature 250 ml (1 tasse) + un peu plus (garniture)
jus de grenade 125 ml (1/2 tasse)
graines de chia blanc moulues 1 c. à soupe
jus de citron quelques gouttes
sirop d'érable au goût
menthe fraîche (garniture)

Méthode à suivre pour chacune des trois recettes :

1 Dans le récipient d'un mélangeur ou d'un robot culinaire, mettre tous les ingrédients sauf les garnitures. Actionner l'appareil par touches successives jusqu'à ce que la préparation soit lisse et homogène.

2 Verser dans des verres. Si désiré, déposer à la surface des smoothies une ou plusieurs des garnitures suggérées pour chaque recette. (Les garnitures sont toutes facultatives.)

NOTES

Pour le trempage des noix de cajou : les déposer dans un bol, recouvrir d'eau et laisser reposer 8 heures à température ambiante. Égoutter.

Ces recettes peuvent facilement être adaptées, par exemple en substituant un jus ou un fruit à un autre, en remplaçant le lait par une boisson végétale, ou encore en troquant le kéfir contre du lait additionné de yogourt.

SALADE DE MELON
À LA MENTHE
ET FROMAGE FRAIS

PRÉPARATION : 15 MINUTES • 6 PORTIONS

vinaigre de vin blanc 1 c. à soupe

huile d'olive 1 c. à soupe

chili broyé 1/4 c. à thé

burrata ou mozzarella fraîche,
1 boule de 250 g, à température
ambiante

cantaloup 1/2 petit, coupé en cubes,
environ 1 litre (4 tasses)

melon miel 1/2 petit, coupé en
cubes, environ 1 litre (4 tasses)

basilic frais 1 c. à soupe

menthe fraîche 1 c. à soupe

sel de mer de Maldon 1/4 c. à thé

1 Dans un petit bol, fouetter le vinaigre avec l'huile et le chili.

2 Déposer la burrata au centre d'une assiette de service et disposer les cubes de cantaloup et de melon miel tout autour. Arroser de vinaigrette. Parsemer de basilic et de menthe. Parsemer du sel au moment de servir.

COUPES DE YOGOURT AU MUSLI

PRÉPARATION : 10 MINUTES · **CUISSON :** 15 MINUTES · 4 PORTIONS

MUSLI

gros flocons d'avoine 500 ml
  (2 tasses)

graines de citrouille 125 ml
  (1/2 tasse)

noix de Grenoble ou amandes,
  125 ml (1/2 tasse), grillées,
  hachées finement

noix de coco râpée sucrée
  125 ml (1/2 tasse)

graines de chanvre décortiquées
  ou farine de lin, 60 ml (1/4 tasse)

sel 1 c. à thé

yogourt nature 500 ml (2 tasses)

fruits au goût, coupés en morceaux
  au besoin

miel environ 4 c. à thé

1   Pour la préparation du musli : dans une grande poêle, sur feu moyen, faire griller les flocons d'avoine en remuant de temps à autre jusqu'à ce qu'ils soient dorés, 4 ou 5 minutes. Transférer dans un grand bol. Dans la même poêle, faire griller les graines de citrouille jusqu'à ce qu'elles soient légèrement gonflées, environ 8 minutes. Dans le bol, mélanger les flocons d'avoine, les graines de citrouille, les noix de Grenoble, la noix de coco, les graines de chanvre et le sel.

2   Dans 4 verres, répartir 250 ml (1 tasse) de yogourt, puis 250 ml (1 tasse) de musli et des morceaux de fruits. Arroser de 1/2 c. à thé de miel par verre. Ajouter un autre étage de chacun des ingrédients, en terminant avec le reste du miel – il restera du musli à conserver pour un autre usage.

FRITTATA AUX ÉPINARDS ET SALADE DE TOMATES CERISES

PRÉPARATION : 15 MINUTES · **CUISSON :** 20 MINUTES · 4 PORTIONS

beurre 80 ml (1/3 tasse)
oignon rouge 250 ml (1 tasse), émincé
jeunes épinards 250 ml (1 tasse), tassés
œufs 4
lait 160 ml (2/3 tasse)
farine tout usage 125 ml (1/2 tasse)
poivre du moulin 1/4 c. à thé
gruyère 125 ml (1/2 tasse), râpé

SALADE DE
TOMATES CERISES
huile d'olive 1 1/2 c. à thé
vinaigre de vin blanc 2 c. à thé
sel 1/4 c. à thé
chili broyé 1/8 c. à thé
tomates cerises 250 ml (1 tasse), coupées en deux

1 Placer une grille au centre du four et le préchauffer à 245 °C (475 °F). Dans une poêle à fond épais allant au four, sur feu moyen, faire fondre le beurre. Y faire suer l'oignon 3 minutes. Ajouter les épinards et cuire en remuant 1 minute.

2 Dans un grand bol, fouetter les œufs. Ajouter le lait, la farine et le poivre en fouettant. Verser ce mélange sur la préparation oignon-épinards et parsemer de gruyère. Cuire au four jusqu'à ce que la frittata soit gonflée et dorée, environ 12 minutes.

3 Pour la préparation de la salade de tomates cerises : dans un bol de grosseur moyenne, fouetter l'huile avec le vinaigre, le sel et le chili. Ajouter les tomates et mélanger. Servir la salade avec la frittata.

BACON À L'ÉRABLE ET AU FENOUIL

PRÉPARATION : 10 MINUTES · **CUISSON :** 25 MINUTES · 6 PORTIONS

bacon 12 tranches
sirop d'érable 3 c. à soupe
cassonade 2 c. à thé
graines de fenouil 1 c. à thé
poivre du moulin au goût

1 Placer une grille au centre du four et le préchauffer à 190 °C (375 °F). Tapisser une plaque de papier d'aluminium et y déposer une grille.

2 Disposer les tranches de bacon en une seule couche sur la grille déposée sur la plaque – les placer perpendiculairement aux rayons de la grille (faire chevaucher légèrement les tranches au besoin). Dans un petit bol, mélanger le sirop d'érable avec la cassonade. En badigeonner les tranches de bacon et parsemer de graines de fenouil. Poivrer.

3 Cuire au four jusqu'à ce que le bacon soit cuit et bien doré, de 25 à 35 minutes. Détacher délicatement le bacon de la grille et le laisser reposer 5 minutes avant de le servir.

POMMES DE TERRE ÉTAGÉES

PRÉPARATION : 10 MINUTES · **CUISSON :** 50 MINUTES · 8 PORTIONS

pommes de terre Yukon Gold
  4, pelées
beurre 2 c. à soupe +
1 c. à soupe, fondu
sel 1/2 c. à thé
poivre noir 1/2 c. à thé

1 Placer une grille au centre du four et le préchauffer à 200 °C (400 °F). À l'aide d'une mandoline ou d'un couteau, couper les pommes de terre en tranches fines d'au plus 0,5 cm (1/4 po) d'épaisseur.

2 Dans une poêle allant au four d'environ 23 cm (9 po) de diamètre, sur feu moyen, faire fondre 2 c. à soupe de beurre. Étendre les pommes de terre en spirale dans la poêle, en commençant par le centre et en faisant se chevaucher légèrement les tranches pour couvrir le fond de la poêle. Saler et poivrer. Étager le reste des pommes de terre de la même manière – saler et poivrer chaque étage et presser au centre à l'aide d'une spatule pour égaliser. Badigeonner du reste du beurre (1 c. à table fondu). (En tout, ces opérations devraient prendre de 5 à 7 minutes.) À l'aide de la spatule, soulever le dessous de la galette de pommes de terre pour en vérifier la cuisson – les pommes de terre du dessous devraient être dorées. Couvrir la poêle de papier d'aluminium.

3 Cuire au four 25 minutes. Retirer le papier d'aluminium et poursuivre la cuisson de 20 à 30 minutes ou jusqu'à ce que les pommes de terre soient tendres, dorées et croustillantes à leur pourtour. Sortir du four et laisser reposer 10 minutes. Passer la lame d'un couteau autour et en dessous de la galette. Secouer délicatement la poêle – lorsque la galette bouge, placer une assiette à l'envers sur la poêle, puis renverser la poêle pour démouler la galette. Couper en pointes.

MINISOUFFLÉS AU JAMBON

PRÉPARATION : 20 MINUTES · **CUISSON :** 30 MINUTES · 6 MINISOUFFLÉS

168

beurre 3 c. à soupe + 1 c. à soupe, fondu

farine tout usage 35 g (1/4 tasse)

lait 250 ml (1 tasse), à température ambiante

cheddar fort ou gruyère ou Oka L'Artisan, 250 ml (1 tasse), râpé

parmesan 2 c. à soupe, râpé

œufs 4, les jaunes et les blancs séparés

jambon braisé 80 ml (1/3 tasse), haché finement

sel et **poivre du moulin** au goût

1 Dans une petite casserole, sur feu vif, faire fondre 3 c. à soupe de beurre. Ajouter la farine et cuire 1 minute en brassant constamment au fouet. Verser le lait en continuant à fouetter. Amener à ébullition en remuant. Cuire 3 minutes. Incorporer le cheddar et retirer du feu. Laisser tiédir.

2 Préchauffer le four à 175 °C (350 °F). À l'aide d'un pinceau à pâtisserie, badigeonner de 1 c. à soupe de beurre fondu 6 ramequins d'une contenance d'environ 180 ml (3/4 tasse). Saupoudrer les parois du parmesan râpé. Faire bouillir de l'eau pour la cuisson au bain-marie (voir étape 5).

3 Verser la sauce béchamel au fromage dans un bol. Y ajouter les jaunes d'œufs en remuant avec une cuillère jusqu'à ce que le mélange soit homogène. Ajouter le jambon. Saler et poivrer. Remuer.

4 Dans un bol, à l'aide d'un batteur électrique, fouetter les blancs d'œufs avec une pincée de sel jusqu'à ce qu'ils soient fermes, environ 2 minutes. Incorporer environ le tiers des blancs d'œufs à la béchamel en pliant la préparation à la spatule. Incorporer délicatement le reste des blancs en pliant.

5 Verser le mélange dans les ramequins. Les déposer dans un plat de cuisson rectangulaire de 23 x 33 cm (9 x 13 po). Verser de l'eau bouillante dans le plat de cuisson jusqu'à mi-hauteur des ramequins. Cuire au four 25 minutes. Servir aussitôt.

NOTE

On peut préparer ces soufflés la veille et les réchauffer à la dernière minute. Pour ce faire, après la cuisson, les retirer du bain-marie et les laisser tiédir 5 minutes. Passer la lame d'un couteau sur la paroi intérieure des ramequins et démouler les soufflés délicatement. Déposer les soufflés sur une plaque tapissée de papier sulfurisé (parchemin), couvrir d'une pellicule plastique et conserver au réfrigérateur. Au moment de servir, réchauffer 5 minutes au four préchauffé à 220 °C (425 °F).

ŒUFS MIROIR SUR POÊLÉE
DE CHOU FRISÉ

PRÉPARATION : 10 MINUTES • **CUISSON :** 15 MINUTES • 4 PORTIONS

huile d'olive 2 c. à soupe
oignon 1, émincé
chou frisé 8 tasses, haché
    grossièrement
bouillon de poulet 80 à 125 ml
    (1/3 à 1/2 tasse)
sel au goût
vinaigre de cidre 1/2 c. à thé
œufs 4
piment d'Espelette moulu
    au goût
pain de blé entier 8 tranches,
    grillées

1 Dans une grande poêle (ou 4 petites poêles), sur feu moyen, chauffer l'huile. Y attendrir l'oignon, environ 3 minutes. Ajouter le chou frisé et juste assez de bouillon pour couvrir le fond de la poêle. Saler. Couvrir et cuire environ 5 minutes.

2 Arroser du vinaigre la préparation au chou. Remuer. À l'aide d'une cuillère, former 4 cavités dans la préparation. Casser un œuf juste au-dessus de chaque cavité. Couvrir et poursuivre la cuisson environ 3 minutes – soulever le couvercle de temps à autre pour laisser s'échapper l'excès de vapeur. Saupoudrer de piment d'Espelette. Accompagner des tranches de pain grillées.

PAIN DORÉ ET ANANAS CARAMÉLISÉ À L'ÉRABLE ET À LA VANILLE

PRÉPARATION : 20 MINUTES · **CUISSON :** 30 MINUTES · 4 À 6 PORTIONS

ANANAS CARAMÉLISÉ À L'ÉRABLE ET À LA VANILLE
sirop d'érable 180 ml (3/4 tasse)
beurre salé 2 c. à soupe
gousse de vanille 1
ananas 1 litre (4 tasses), coupé en dés
lime 1/4, le zeste râpé et le jus (facultatif)

œufs 3
lait 160 ml (2/3 tasse)
sirop d'érable 60 ml (1/4 tasse) + au goût (garniture)
beurre 2 c. à soupe
pain baguette de la veille ou pain de campagne ou pain tressé aux œufs, 1, coupé en biais en tranches de 2,5 cm (1 po) d'épaisseur

1   Pour la préparation de l'ananas caramélisé à l'érable et à la vanille : dans une grande poêle, sur feu vif, chauffer le sirop d'érable et le beurre environ 1 minute ou jusqu'à ce que le sirop commence à épaissir et dégage un parfum de caramel. Avec la pointe d'un couteau d'office, fendre la gousse de vanille en deux dans le sens de la longueur. Racler les graines qui se trouvent à l'intérieur et les ajouter au sirop avec l'ananas. (Conserver la gousse de vanille pour un autre usage.)

2   Poursuivre la cuisson en remuant de temps à autre, environ 10 minutes ou jusqu'à ce que les dés d'ananas soient bien caramélisés. Si désiré, ajouter le zeste et le jus de lime. Laisser tiédir. (L'ananas caramélisé peut être préparé la veille et réchauffé avant d'être servi.)

3   Entretemps, préchauffer le four à 90 °C (200 °F). Dans un grand bol, battre légèrement les œufs au fouet. Incorporer le lait et le sirop d'érable.

4   Dans une grande poêle antiadhésive, sur feu moyen, faire fondre 1/2 c. à soupe de beurre. Tremper quelques tranches de pain de chaque côté dans le mélange d'œufs, sans trop les imbiber. Les cuire de 1 1/2 à 2 minutes de chaque côté ou jusqu'à ce qu'elles soient dorées. Réserver sur une plaque au four. Répéter avec le reste des ingrédients. Servir environ trois tranches de pain doré par personne et garnir d'ananas caramélisé à l'érable et à la vanille. Accompagner de sirop d'érable.

NOTE
L'ananas caramélisé est aussi délicieux avec du yogourt, un gâteau des anges ou de la crème glacée.

MUFFINS CROUSTILLANTS AUX BLEUETS

PRÉPARATION : 20 MINUTES • **CUISSON :** 25 MINUTES • 12 MUFFINS

GARNITURE
CROUSTILLANTE

farine tout usage 2 c. à soupe

sucre 2 c. à soupe

zeste de citron 1 c. à soupe, râpé

beurre non salé 1 c. à soupe

farine tout usage 130 g (1 tasse)

farine de blé entier 130 g (1 tasse)

sucre 210 g (1 tasse)

poudre à lever (poudre à pâte)
 2 c. à thé

bicarbonate de soude 3/4 c. à thé

sel 1/4 c. à thé

œuf 1

yogourt nature (de préférence 2 %)
 250 ml (1 tasse)

huile végétale 3 c. à soupe

zeste de citron 1 c. à soupe, râpé

bleuets 1 barquette (170 g)

1 Placer une grille au centre du four et le préchauffer à 190 °C (375 °F). Vaporiser légèrement 12 moules à muffins d'un enduit antiadhésif ou les tapisser de coupelles en papier.

2 Pour la préparation de la garniture croustillante : dans un petit bol, mélanger la farine, le sucre et le zeste de citron. Ajouter le beurre et mélanger avec les doigts jusqu'à ce que la préparation soit grumeleuse. Réserver.

3 Dans un grand bol, mélanger les farines, le sucre, la poudre à lever, le bicarbonate de soude et le sel.

4 Dans un bol de grosseur moyenne, fouetter l'œuf. Y ajouter le yogourt, l'huile végétale et le zeste de citron en fouettant. Ajouter ce mélange au mélange de farines. Remuer légèrement – la pâte sera très épaisse. Ajouter les bleuets et remuer. À l'aide d'une cuillère, répartir la pâte dans les moules à muffins. Parsemer de la garniture croustillante.

5 Cuire au four 25 minutes ou jusqu'à ce qu'un cure-dent inséré au centre d'un muffin en ressorte propre. Laisser refroidir 10 minutes, démouler sur une grille et laisser refroidir complètement. Les muffins se conservent dans un contenant hermétique jusqu'à 2 jours à température ambiante ou 1 mois au congélateur.

TRANCHES DE QUATRE-QUARTS GRILLÉES ET FRAISES AU MIEL

PRÉPARATION : 10 MINUTES • **CUISSON :** 5 MINUTES • 4 PORTIONS

miel 2 c. à soupe

fraises 1 barquette (454 g), équeutées et coupées en quatre

menthe fraîche 60 ml (1/4 tasse), hachée

gâteau quatre-quarts 1 (environ 310 g), coupé en huit tranches de 2,5 cm (1 po) d'épaisseur

crème glacée à la vanille au goût (facultatif)

1 Verser le miel dans un bol de grosseur moyenne. Ajouter les fraises et la menthe. Remuer pour les enrober. Réserver et remuer de temps à autre pendant la préparation des tranches de quatre-quarts grillées.

2 Placer une grille au centre du four et le préchauffer à 200 °C (400 °F). Tapisser de papier sulfurisé (parchemin) une plaque à cuisson. Étaler les tranches de gâteau sur la plaque. Les faire griller au four jusqu'à ce qu'elles soient légèrement dorées, de 5 à 7 minutes – les retourner à mi-cuisson.

3 Répartir les tranches de gâteau grillées dans 4 assiettes. Garnir des fraises. Arroser du jus des fraises resté dans le bol. Servir avec une cuillerée de crème glacée, si désiré.

PANCAKES AU SARRASIN SANS GLUTEN

PRÉPARATION : 10 MINUTES · **CUISSON :** 15 MINUTES · 12 PANCAKES DE 8 CM (3 PO)

farine de sarrasin 60 g (1/2 tasse)

farine de riz blanc 35 g (1/4 tasse)

farine de maïs jaune 30 g
(1/4 tasse)

fécule de maïs 2 c. à soupe

poudre à lever (poudre à pâte)
1 c. à soupe

sel 1/4 c. à thé

œufs 2

ricotta lisse 250 ml (1 tasse)

lait ou boisson de soya, 180 ml
(3/4 tasse)

huile végétale 2 c. à soupe

extrait de vanille 1 c. à thé

sirop d'érable ou beurre d'érable
ou yogourt, au goût

fruits au goût, coupés en morceaux
au besoin

1   Dans un grand bol, mélanger au fouet les farines, la fécule de maïs, la poudre à lever et le sel. Dans un bol de grosseur moyenne, fouetter les œufs avec la ricotta, le lait, l'huile et la vanille. Incorporer ce mélange aux ingrédients secs.

2   Sur feu moyen, chauffer une grande poêle antiadhésive. Y verser environ 60 ml (1/4 tasse) de pâte pour chaque pancake – en cuire 3 à la fois. Cuire jusqu'à ce que des bulles apparaissent à la surface des pancakes, 1 ou 2 minutes. Les retourner et poursuivre la cuisson jusqu'à ce qu'ils soient bien dorés, environ 2 minutes – réduire le feu s'ils dorent trop rapidement. Les déposer dans une assiette et les couvrir pour les garder chauds pendant la cuisson des autres pancakes. Servir avec du sirop d'érable et des fruits.

DESSERTS

GÂTEAU AU FROMAGE ET AUX PETITS FRUITS
(GARNITURE SANS CUISSON)

PRÉPARATION : 40 MINUTES · **CUISSON :** 15 MINUTES · **ATTENTE :** 6 HEURES 20 MINUTES · 12 PORTIONS

CROÛTE DE BISCUITS GRAHAM
pacanes 70 g (3/4 tasse)
chapelure de biscuits Graham
 125 ml (1/2 tasse)
flocons d'avoine 60 ml (1/4 tasse)
sucre 3 c. à soupe
beurre non salé 60 g (1/4 tasse),
 fondu

GARNITURE AU FROMAGE
jus de citron 2 c. à soupe
gélatine en poudre 1 sachet (7 g)
fromage à la crème 1 bloc (250 g)
ricotta 300 g (1 1/4 tasse)
sucre 65 g (1/3 tasse)
extrait de vanille 1 c. à thé
zeste de citron 1 c. à thé,
 râpé finement (facultatif)
crème 35 % 250 ml (1 tasse)
jaune d'œuf 1

GELÉE DE FRAMBOISES
(facultatif) (voir Note)
gélatine en poudre 1 1/2 c. à thé
framboises fraîches
 ou surgelées, 250 ml (1 tasse)
sucre 50 g (1/4 tasse)

petits fruits frais variés
 375 ml (1 1/2 tasse)

1 Préchauffer le four à 190 °C (375 °F). Pour la préparation de la croûte de biscuits Graham : tapisser de papier sulfurisé (parchemin) le fond d'un moule à fond amovible de 20 cm (8 po) de diamètre. Dans le récipient d'un robot culinaire, réduire les ingrédients secs en chapelure. Incorporer le beurre. Presser le mélange au fond du moule. Cuire au four environ 12 minutes. Laisser refroidir.

2 Pour la préparation de la garniture au fromage : dans un petit bol, mélanger 3 c. à soupe d'eau et le jus de citron. Y saupoudrer la gélatine et laisser gonfler 5 minutes. Dans le récipient d'un robot culinaire, mélanger le fromage à la crème, la ricotta, le sucre, la vanille et le zeste de citron jusqu'à ce que la préparation soit bien lisse. Incorporer la crème et le jaune d'œuf.

3 Faire fondre la gélatine au micro-ondes 20 secondes. L'ajouter à la garniture au fromage et mélanger. Verser sur la croûte et lisser avec une spatule. Couvrir et réfrigérer au moins 4 heures.

4 Pour la préparation de la gelée de framboises, si désiré : dans un petit bol, saupoudrer la gélatine sur 60 ml (1/4 tasse) d'eau froide et laisser gonfler 5 minutes. Dans une casserole, porter à ébullition les framboises, 60 ml (1/4 tasse) d'eau et le sucre en remuant. Laisser mijoter 3 minutes en écrasant les framboises grossièrement. Laisser infuser 5 minutes. Passer dans un tamis fin posé sur un bol, en pressant. (Conserver la purée restée dans le tamis pour un autre usage.) Ajouter la gélatine aux framboises tamisées et remuer jusqu'à ce qu'elle soit bien dissoute. Ajouter de l'eau pour obtenir 250 ml (1 tasse) de liquide au total. Laisser refroidir. Réserver 2 c. à soupe du mélange pour en badigeonner les fruits à la fin. Verser le reste sur la garniture au fromage. Réfrigérer environ 1 heure ou jusqu'à ce que la gelée soit bien prise.

5 Décorer le gâteau de petits fruits. Faire fondre au micro-ondes la gelée de framboises réservée (ou 2 c. à soupe de gelée du commerce) et en badigeonner les fruits. Réfrigérer de nouveau 1 heure. Passer une fine lame de couteau autour du gâteau et démouler. S'il est garni de gelée aux framboises, le gâteau se conserve 2 jours au réfrigérateur. Il se conserve 3 ou 4 jours si l'on omet la gelée et les petits fruits.

NOTE

Si l'on ne fait pas la gelée de framboises, on aura besoin de 2 c. à soupe de gelée du commerce (de framboises ou d'abricot, par exemple) pour en badigeonner les fruits.

CRÈME GLACÉE À L'ANCIENNE À LA VANILLE

PRÉPARATION : 40 MINUTES · **CUISSON :** 25 MINUTES · **ATTENTE :** 1 HEURE 10 MINUTES · 750 ML (3 TASSES)

crème 35 % 500 ml (2 tasses)
lait 3,25 % 250 ml (1 tasse)
sucre 105 g (1/2 tasse)
gousse de vanille 1
jaunes d'œufs 3
sel 1/4 c. à thé

1 Refroidir le bol d'une sorbetière au congélateur au moins 15 heures à l'avance.

2 Dans une casserole de grosseur moyenne, sur feu moyen-vif, mélanger la crème, le lait et 50 g (1/4 tasse) de sucre. Avec la pointe d'un couteau d'office, fendre la gousse de vanille en deux dans le sens de la longueur. Racler les graines qui se trouvent à l'intérieur et les ajouter au mélange de crème. (Conserver la gousse pour un autre usage.) Amener à faible ébullition et laisser mijoter en remuant souvent, 6 ou 7 minutes. Réduire le feu à moyen-doux.

3 Dans un bol de grosseur moyenne, fouetter les jaunes d'œufs avec le reste du sucre et le sel. Placer un linge humide sous le bol pour le stabiliser. Y incorporer graduellement en fouettant la moitié du mélange de crème chaud. Remettre le tout dans la casserole. Sur feu moyen-doux, cuire en remuant constamment avec une cuillère en bois jusqu'à ce que la préparation épaississe suffisamment pour napper le dos de la cuillère, de 14 à 16 minutes. Passer au chinois dans un bol en métal. Laisser reposer 10 minutes. Placer de la pellicule plastique directement sur la surface de la préparation pour éviter qu'il s'y forme une peau. Réserver au congélateur jusqu'à ce que la préparation soit froide, environ 1 heure.

4 Verser la préparation refroidie dans le bol de la sorbetière. Mixer en suivant les instructions du fabricant, de 30 à 45 minutes. Transférer dans un contenant muni d'un couvercle et congeler. La crème glacée se conserve 1 mois au congélateur. Au moment de servir, la laisser ramollir légèrement à température ambiante.

GÂTEAU AUX FRAISES ET AU CITRON

PRÉPARATION : 30 MINUTES · **CUISSON :** 50 MINUTES · 8 PORTIONS

farine tout usage
   195 g (1 1/2 tasse) + 1 c. à soupe
sel 1/4 c. à thé
yogourt nature 10 %
   60 ml (1/4 tasse)
bicarbonate de soude 1 c. à thé
fraises 500 ml (2 tasses),
   coupées en quartiers
beurre 125 g (1/2 tasse),
   à température ambiante
sucre 210 g (1 tasse)
sirop d'érable 60 ml (1/4 tasse)
œufs 2
extrait de vanille 1 c. à thé
citron 1, le zeste seulement, râpé
sucre turbinado ou sucre granulé,
   1 c. à soupe

1 Placer une grille au centre du four et le préchauffer à 175 °C (350 °F). Beurrer et fariner un moule à fond amovible de 23 cm (9 po) de diamètre. Tapisser le fond du moule de papier sulfurisé (parchemin).

2 Dans un petit bol, mélanger 195 g (1 1/2 tasse) de farine et le sel. Dans un deuxième petit bol, mélanger le yogourt avec le bicarbonate de soude. Dans un bol de grosseur moyenne, mélanger les fraises avec 1 c. à soupe de farine. Réserver.

3 Dans un grand bol, à l'aide d'un batteur électrique, battre le beurre en crème avec le sucre et le sirop d'érable environ 5 minutes ou jusqu'à ce que le mélange devienne léger. Ajouter les œufs, la vanille et le zeste de citron en battant. À basse vitesse, incorporer le mélange d'ingrédients secs en alternant avec le mélange de yogourt.

4 Étaler la moitié de la pâte dans le moule et couvrir avec la moitié des fraises. Ajouter le reste de la pâte et y répartir joliment les fraises, en les enfonçant légèrement dans la pâte. Saupoudrer du sucre turbinado.

5 Cuire au four de 50 minutes à 1 heure ou jusqu'à ce qu'un cure-dent inséré au centre en ressorte propre. Déposer le gâteau sur une grille. Laisser tiédir environ 15 minutes et démouler. Servir accompagné de crème glacée, si désiré. On peut préparer le gâteau une journée à l'avance. Le réchauffer légèrement au four avant de le servir pour en rehausser les saveurs.

ÎLES FLOTTANTES À L'ÉRABLE

PRÉPARATION : 25 MINUTES • **CUISSON :** 25 MINUTES • **ATTENTE :** 3 HEURES • 6 À 8 PORTIONS

CRÈME ANGLAISE
AU SIROP D'ÉRABLE
lait 500 ml (2 tasses)
jaunes d'œufs 6
sirop d'érable 250 ml (1 tasse)

ÎLES FLOTTANTES
(MERINGUES)
blancs d'œufs 3
crème de tartre 1/4 c. à thé
sirop d'érable 60 ml (1/4 tasse)

amandes tranchées grillées
ou sucre d'érable granulé,
au goût (garniture) (facultatif)
sirop d'érable au goût (garniture)

1   Pour la préparation de la crème anglaise au sirop d'érable : dans une casserole à fond épais de grosseur moyenne, sur feu moyen, chauffer le lait jusqu'à ce qu'il frémisse, environ 3 minutes. Retirer du feu. Dans un bol de grosseur moyenne, mélanger au fouet les jaunes d'œufs et le sirop d'érable jusqu'à ce que le mélange soit mousseux. Y verser graduellement le lait chaud en fouettant. Remettre le mélange dans la casserole.

2   Sur feu moyen, cuire en remuant constamment avec une cuillère en bois jusqu'à ce que le mélange épaississe et nappe le dos de la cuillère, de 10 à 15 minutes – éviter de faire bouillir. Retirer du feu. Aussitôt, passer au tamis dans un bol. Couvrir et réfrigérer jusqu'à ce que la préparation soit bien froide, environ 3 heures. (La crème anglaise se conserve 3 jours au réfrigérateur.)

3   Pour la préparation des îles flottantes : dans un bol de grosseur moyenne, à l'aide d'un batteur électrique, battre les blancs d'œufs avec la crème de tartre environ 2 minutes ou jusqu'à ce qu'ils forment des pics mous. Ajouter le sirop d'érable graduellement et battre environ 3 minutes ou jusqu'à ce que le mélange forme des pics fermes.

4   Dans une grande assiette creuse allant au micro-ondes, verser de l'eau de façon à recouvrir le fond à hauteur d'environ 0,5 cm (1/4 po). À l'aide d'une grosse cuillère, former pour chaque portion 1 grosse meringue avec le mélange de blancs d'œufs – on peut aussi former, si on le préfère, 3 quenelles à l'aide de deux cuillères à soupe. (Utiliser environ 180 ml [3/4 tasse] du mélange pour chaque grosse meringue ou environ 60 ml [1/4 tasse] pour chaque quenelle.) Les déposer dans l'assiette creuse sans qu'elles se touchent.

5   Cuire au micro-ondes à puissance maximale environ 30 secondes pour les grosses meringues et 20 secondes pour les quenelles. Déposer les meringues cuites sur du papier essuie-tout et répéter avec le reste de la préparation. Transférer délicatement les meringues dans un grand plat sans qu'elles se touchent. Couvrir et réfrigérer au moins 30 minutes et au maximum 3 heures.

6   Répartir la crème anglaise dans des coupes ou des bols individuels et y déposer 1 grosse meringue ou 3 quenelles. Parsemer d'amandes tranchées ou de sucre d'érable, si désiré. Garnir d'un filet de sirop d'érable.

GÂTEAU RENVERSÉ AUX POIRES PARFUMÉ AU GINGEMBRE

PRÉPARATION : 35 MINUTES • **CUISSON :** 45 MINUTES • 8 À 10 PORTIONS

CARAMEL
sucre 210 g (1 tasse)
sirop de maïs 1 c. à soupe
jus de citron 1/4 c. à thé
beurre non salé 4 c. à soupe

poires Bosc 4, fermes, pelées,
   épépinées et coupées en tranches

GÂTEAU
farine à gâteaux et à patisseries
   (voir Note) 180 g (1 1/2 tasse),
   ou farine tout usage, 180 g
   (1 1/3 tasse + 1 c. à soupe)
poudre à lever (poudre à pâte)
   1 1/2 c. à thé
sel 1 pincée
beurre non salé 125 g (1/2 tasse),
   à température ambiante
sucre 130 g (2/3 tasse)
œufs 2, à température ambiante
extrait de vanille 1/2 c. à thé
gingembre frais 2 c. à thé,
   râpé finement
lait 80 ml (1/3 tasse)

1   Placer une grille dans le tiers inférieur du four et le préchauffer à 190 °C (375 °F). Beurrer un moule métallique de 23 cm (9 po) de diamètre. (Éviter les moules à charnière, pas assez étanches.)

2   Pour la préparation du caramel : mélanger le sucre, le sirop de maïs, le jus de citron et 2 c. à soupe d'eau chaude dans une tasse à mesurer en Pyrex d'une capacité d'au moins 500 ml (2 tasses) ou dans un grand bol en Pyrex. Chauffer au micro-ondes à puissance maximale en surveillant sans cesse, de 2 à 4 minutes selon la puissance du four, jusqu'à ce que le sirop soit légèrement ambré, sans plus. Si le caramel n'est pas assez foncé, poursuivre la cuisson par tranches de 10 à 15 secondes – attention, le sirop continuera de brunir hors du four. Retirer du four et ajouter le beurre, 1 cuillerée à soupe à la fois.

3   Verser le caramel dans le moule pour en couvrir le fond. Disposer côte à côte les tranches de poire sur le caramel, en formant un joli motif – s'il reste des tranches de poire, les répartir par-dessus. Réserver.

4   Pour la préparation du gâteau : dans un bol, tamiser ensemble la farine, la poudre à lever et le sel. Réserver. Dans un autre bol, à l'aide d'un batteur électrique, battre le beurre quelques secondes pour le défaire en crème. Ajouter graduellement le sucre en battant, jusqu'à ce que le mélange soit pâle et léger, 3 ou 4 minutes environ. Ajouter les œufs, un à la fois, en battant jusqu'à ce que le mélange soit très pâle, lisse et homogène, environ 2 minutes. Incorporer la vanille et le gingembre. À l'aide d'une cuillère en bois, incorporer environ le tiers des ingrédients secs dans le mélange et la moitié du lait. Répéter l'opération et terminer avec les ingrédients secs.

5   Verser délicatement la pâte sur les poires sans en briser le motif. Cuire au four environ 40 minutes ou jusqu'à ce qu'un cure-dent inséré au centre du gâteau en ressorte propre. Poser le moule sur une grille et laisser tiédir le gâteau 10 minutes. Passer un couteau à fine lame sur les parois du moule pour en détacher le gâteau. Poser une grande assiette sur le moule et retourner en tenant fermement pour démouler le gâteau.

NOTE
La farine à gâteaux et à patisseries contient moins de protéines que la farine tout usage, en raison des variétés de blé utilisées et des proportions de chacune. Cette farine permet aux desserts de lever davantage. Ne pas confondre avec la farine « préparée » pour gâteaux et pâtisseries, qui contient de la poudre à lever et du sel.

190

TROTTOIR AUX FRAISES

PRÉPARATION: 25 MINUTES · **CUISSON:** 35 MINUTES · **ATTENTE:** 1 HEURE 30 MINUTES · 6 À 8 PORTIONS

fraises 500 ml (2 tasses), coupées
en quartiers

sucre 105 g (1/2 tasse) + 1/2 c. à thé

pâte feuilletée congelée 225 g
(1/2 lb), décongelée

crème 35 % 1 c. à soupe

zeste de lime 1/2 c. à thé,
râpé finement (facultatif)

basilic frais au goût (garniture)
(facultatif)

1 Dans une petite casserole, sur feu moyen, porter à ébullition les fraises et 105 g (1/2 tasse) de sucre en remuant. Laisser mijoter 5 ou 6 minutes. Verser dans un plat et réfrigérer environ 1 heure ou jusqu'à ce que la garniture aux fraises soit froide.

2 Sur un plan de travail fariné, abaisser la pâte en un rectangle de 23 x 36 cm (9 x 14 po). Tailler 2 bandes de pâte de 1,5 cm (2/3 po) dans le sens de la longueur et 2 autres bandes de même largeur dans le sens de la largeur.

3 Humecter d'eau le pourtour du rectangle de pâte et coller les bandes tout autour pour former un renflement qui empêchera la garniture de déborder. Déposer sur une plaque tapissée de papier sulfurisé (parchemin). Réfrigérer 30 minutes.

4 Placer une grille dans le tiers inférieur du four et le préchauffer à 200 °C (400 °F). Piquer toute la surface de la pâte à l'intérieur des bandes avec une fourchette. Badigeonner les bandes de crème et les saupoudrer de 1/2 c. à thé de sucre. Étaler la garniture aux fraises sur la pâte, à l'intérieur des bandes. Cuire dans le bas du four 30 minutes ou jusqu'à ce que le dessous soit bien doré. Laisser refroidir sur une grille. Râper le zeste de lime au-dessus de la garniture aux fraises et parsemer de basilic, si désiré. Tailler en portions carrées ou rectangulaires.

BEIGNES À L'ANCIENNE À L'ORANGE

PRÉPARATION : 35 MINUTES · **ATTENTE :** 1 HEURE · **CUISSON :** 15 MINUTES · 12 BEIGNES

crème sure 125 ml (1/2 tasse)
zeste d'orange 2 c. à soupe,
  râpé finement
extrait de vanille 1 c. à thé
farine à gâteaux et à patisseries
  (voir Note p. 190) 250 g (2 tasses +
  1 c. à soupe), ou farine tout usage,
  250 g (un peu moins de 2 tasses)
poudre à lever (poudre à pâte)
  1 1/2 c. à thé
sel 1/2 c. à thé
beurre 2 c. à soupe, à température
  ambiante
sucre 105 g (1/2 tasse)
jaunes d'œufs 2
huile de canola pour la friture

GLAÇAGE (FACULTATIF)
sucre glace tamisé 360 g (3 tasses)
miel 60 ml (1/4 tasse)

pistaches 60 ml (1/4 tasse), hachées
  (facultatif)

194

1 Dans un petit bol, mélanger la crème sure, le zeste d'orange et la vanille. Réserver. Dans un autre bol, tamiser la farine, la poudre à lever et le sel. Réserver.

2 Dans un bol de grosseur moyenne, à l'aide d'un batteur électrique, battre le beurre en crème. Ajouter le sucre en battant – la texture deviendra granuleuse. Incorporer les jaunes d'œufs et battre jusqu'à ce que le mélange devienne homogène et ait pâli légèrement, environ 5 ou 6 minutes. À l'aide d'une cuillère en bois ou en mélangeant à basse vitesse, incorporer le tiers du mélange de crème sure, puis le tiers des ingrédients secs. Répéter deux fois. Emballer la pâte dans de la pellicule plastique. Réfrigérer 1 heure ou jusqu'à 12 heures.

3 Sur un plan de travail légèrement fariné, abaisser la pâte en un disque d'environ 1 cm (1/2 po) d'épaisseur – il devrait faire environ 20 cm (8 po) de diamètre –, en saupoudrant la quantité de farine nécessaire pour empêcher la pâte de coller à la surface ou au rouleau à pâtisserie. À l'aide d'un emporte-pièce à beigne, découper les beignes dans la pâte – plonger chaque fois l'emporte-pièce au préalable dans la farine. On peut aussi utiliser 2 emporte-pièces circulaires, l'un d'environ 6 cm (2 1/2 po) de diamètre, l'autre de 3 cm (1 1/4 po) de diamètre.

4 Pour la préparation du glaçage, si désiré : à l'aide d'un fouet, mélanger le sucre glace, le miel et 80 ml (1/3 tasse) d'eau chaude jusqu'à ce que la texture du mélange soit lisse. Si le glaçage semble trop épais, ajouter de l'eau, 1 c. à thé à la fois. Réserver.

5 Dans une grande casserole ou une friteuse, chauffer l'huile jusqu'à ce qu'elle atteigne 175 °C (350 °F). Y ajouter quelques beignes, de telle manière qu'ils ne se touchent pas. Cuire 1 1/2 ou 2 minutes de chaque côté jusqu'à ce qu'ils soient dorés. Égoutter sur des essuie-tout. Répéter avec le reste des beignes, quelques-uns à la fois.

6 Si l'on désire glacer les beignes, les tremper dans le glaçage alors qu'ils sont encore tièdes et les déposer aussitôt sur une grille placée au-dessus d'une plaque avec rebord, de façon à recueillir l'excès de glaçage. Parsemer de pistaches, si désiré. Laisser reposer environ 20 minutes. Consommer de préférence le jour même.

TARTE AU CHOCOLAT ET AU CARAMEL SALÉ

PRÉPARATION : 45 MINUTES • **CUISSON :** 45 MINUTES • **ATTENTE :** 2 HEURES 15 MINUTES • 8 PORTIONS

CROÛTE
farine tout usage 170 g (1 1/4 tasse)
sucre 2 c. à soupe
beurre non salé 125 g (1/2 tasse),
   froid, coupé en dés
jaune d'œuf 1

CARAMEL SALÉ
sucre 210 g (1 tasse)
crème 35 % 125 ml (1/2 tasse)
fleur de sel 3/4 c. à thé

GANACHE
chocolat noir 70 % 170 g
   (1 1/4 tasse), haché
crème 35 % 250 ml (1 tasse)
beurre non salé 2 c. à thé, froid,
   coupé en dés
fleur de sel 1/4 c. à thé

fleur de sel 1/4 c. à thé (garniture)

1   Placer une grille au centre du four et le préchauffer à 175 °C (350 °F). Déposer sur une plaque un moule à tarte à fond amovible de 23 cm (9 po) de diamètre et de 3 cm (1 1/4 po) de hauteur.

2   Pour la préparation de la croûte : dans un bol de grosseur moyenne, mélanger la farine et le sucre. Ajouter le beurre et mélanger avec les doigts jusqu'à ce que la préparation soit grumeleuse. Ajouter le jaune d'œuf et mélanger jusqu'à ce que la pâte se tienne en boule. Déposer la pâte au centre du moule à tarte et la presser avec les doigts en partant du centre vers l'extérieur, puis sur la paroi jusqu'au rebord. Piquer la croûte avec une fourchette à plusieurs endroits. La tapisser de papier sulfurisé (parchemin) ou de papier d'aluminium et la remplir de billes de cuisson (ou de haricots secs). Cuire au four 20 minutes. Retirer les billes de cuisson et le papier sulfurisé. Poursuivre la cuisson jusqu'à ce que la croûte soit légèrement dorée, environ 10 minutes. Laisser tiédir 10 minutes.

3   Pour la préparation du caramel salé : entretemps, dans une petite casserole, mélanger le sucre et 125 ml (1/2 tasse) d'eau. Amener à ébullition sur feu vif. Laisser bouillir jusqu'à ce que le sirop devienne légèrement ambré, de 5 à 10 minutes. Ajouter la crème et la fleur de sel. Remuer jusqu'à ce que la préparation soit lisse. Verser le caramel chaud dans la croûte et réfrigérer jusqu'à ce qu'il soit ferme, environ 20 minutes.

4   Pour la préparation de la ganache : entretemps, mettre le chocolat dans un bol de grosseur moyenne. Dans une petite casserole, sur feu moyen, amener la crème tout juste au point d'ébullition. Verser aussitôt la crème chaude sur le chocolat. Remuer jusqu'à ce que le mélange soit lisse et qu'il n'y ait plus de trace de crème. Ajouter le beurre et la fleur de sel. Remuer jusqu'à ce que la préparation soit brillante. Laisser tiédir jusqu'à ce que la ganache soit à température ambiante, environ 10 minutes.

5   Verser la ganache sur le caramel. Réfrigérer jusqu'à ce qu'elle soit ferme, environ 2 heures. Parsemer de 1/4 c. à thé de fleur de sel.

GÂTEAU AU PAVOT, À L'ORANGE ET AU GINGEMBRE

PRÉPARATION : 45 MINUTES · **CUISSON :** 25 MINUTES · 10 PORTIONS

GÂTEAUX ÉPONGES AU PAVOT

œufs 6, à température ambiante
sucre 150 g (3/4 tasse)
graines de pavot 3 c. à soupe
zeste d'orange 1 c. à soupe, râpé
farine tout usage 195 g (1 1/2 tasse)
poudre à lever (poudre à pâte)
  1 c. à thé
beurre 80 g (1/3 tasse),
  fondu et refroidi

CRÈME CHANTILLY À L'ORANGE ET AU GINGEMBRE

crème à fouetter 35 %
  500 ml (2 tasses)
sucre 6 c. à soupe
jus d'orange concentré surgelé
  125 ml (1/2 tasse), décongelé
gingembre frais 2 c. à soupe,
  haché finement

triple-sec 60 ml (1/4 tasse)
  (facultatif)
graines de pavot au goût
  (garniture)

1 Placer une grille au centre du four et le préchauffer à 175 °C (350 °F). Beurrer et fariner 2 moules à gâteau ronds de 23 cm (9 po) de diamètre.

2 Pour la préparation des gâteaux éponges au pavot : dans un grand bol, à l'aide d'un batteur électrique, battre les œufs avec le sucre environ 10 minutes, jusqu'à ce que le mélange soit très pâle et très léger. Ajouter les graines de pavot et le zeste d'orange. Mélanger. Dans un autre bol, tamiser la farine et la poudre à lever. Incorporer délicatement les ingrédients secs au mélange d'œufs avec une spatule en caoutchouc. Y verser le beurre en pliant délicatement avec la spatule – éviter de trop remuer.

3 Répartir dans les moules et étaler délicatement la pâte. Cuire au four environ 25 minutes ou jusqu'à ce qu'un cure-dent inséré au centre de chaque gâteau en ressorte propre. Laisser refroidir 5 minutes, puis démouler sur une grille.

4 Pour la préparation de la crème chantilly à l'orange et au gingembre : dans un bol froid, fouetter la crème avec le sucre jusqu'à ce qu'elle forme des pics fermes, environ 2 ou 3 minutes. Ajouter le jus d'orange concentré et le gingembre. Remuer. Réserver au réfrigérateur.

5 Lorsque les gâteaux éponges sont froids, les couper en deux à l'horizontale. Déposer la moitié inférieure d'un gâteau dans un plat de service. Arroser de 1 c. à soupe de triple-sec et tartiner d'un peu de crème chantilly. Répéter l'opération avec les trois autres moitiés de gâteau pour former quatre étages. Garnir le dessus du gâteau avec le reste de la chantilly et parsemer de graines de pavot.

BISCUITS CROISSANTS AU BEURRE ET AUX PACANES

PRÉPARATION : 30 MINUTES · **CUISSON :** 15 MINUTES · 40 BISCUITS

---

farine tout usage
  300 g (2 1/4 tasses)
sel 1/4 c. à thé
pacanes 250 ml (1 tasse),
  grillées (voir Note)
sucre glace 90 g (3/4 tasse)
  + pour saupoudrer, au goût
  (facultatif)
beurre non salé 250 g (1 tasse),
  à température ambiante
extrait de vanille 2 c. à thé
pépites de caramel croquant
  (de marque Skor) 80 ml (1/3 tasse)

1 Placer une grille dans le tiers supérieur du four et l'autre dans le tiers inférieur. Préchauffer le four à 175 °C (350 °F). Tapisser 2 plaques à pâtisserie de papier sulfurisé (parchemin).

2 Dans un bol de grosseur moyenne, mélanger la farine et le sel. Réserver. Dans le récipient d'un robot culinaire, mettre les pacanes et le sucre glace. Moudre en poudre très fine. Dans un grand bol, à l'aide d'un batteur électrique réglé à vitesse moyenne, battre le beurre jusqu'à ce qu'il soit léger et crémeux. Ajouter le mélange de pacanes moulues, puis la vanille en battant. Incorporer graduellement les ingrédients secs jusqu'à ce que la pâte se tienne. Ajouter les pépites de caramel croquant. Pétrir la pâte pour la mélanger.

3 Prélever une boule de pâte (l'équivalent de quelques cuillerées à soupe combles) et la rouler entre les paumes des mains pour former un boudin d'environ 6 cm (2 1/2 po) de longueur. Façonner le boudin en forme de croissant, le déposer sur une des plaques et effiler les pointes. Répéter avec le reste de la pâte.

4 Déposer une plaque dans le haut du four et l'autre dans le bas. Cuire jusqu'à ce que le pourtour des biscuits soit doré, sans plus, de 15 à 20 minutes – intervertir les plaques et les faire pivoter à mi-cuisson. Laisser tiédir les biscuits sur les plaques 2 minutes, puis les transférer sur une grille et les laisser refroidir complètement. Saupoudrer de sucre glace, si désiré. Ces biscuits se conservent, dans un contenant hermétique, 1 semaine à température ambiante ou 1 mois au congélateur.

NOTE

Pour faire griller les pacanes : dans une poêle, sur feu moyen, chauffer les noix en les remuant souvent.
Surveiller la cuisson – dès qu'elles dégagent leur parfum, les transférer dans une assiette.

CRÈME MOKA

PRÉPARATION : 15 MINUTES • 6 PORTIONS

crème 35 % 500 ml (2 tasses)
**café instantané espresso
  en poudre** (de marque Nescafé,
  par exemple) 1 c. à thé
poudre de cacao 2 c. à thé
sucre glace 40 g (1/3 tasse)
biscuits amaretti 10, émiettés,
  environ 60 ml (1/4 tasse)
copeaux de chocolat noir
  60 ml (1/4 tasse)

1 Dans un bol de grosseur moyenne, à l'aide d'un batteur électrique réglé à vitesse moyenne, battre la crème avec le café en poudre, la poudre de cacao et le sucre glace jusqu'à ce qu'elle forme des pics fermes quand on soulève les fouets, environ 2 minutes. Répartir dans 6 verres. Garnir des biscuits émiettés et des copeaux de chocolat.

CRÈME BRÛLÉE AUX FRAMBOISES ET AU BASILIC

PRÉPARATION : 15 MINUTES · **CUISSON :** 60 MINUTES · **ATTENTE :** 2 HEURES 10 MINUTES · 6 PORTIONS

framboises 250 ml (1 tasse)
jaunes d'œufs 6, à température ambiante
sucre 210 g (1 tasse)
crème 35 % 625 ml (2 1/2 tasses)
basilic frais 60 ml (1/4 tasse)
extrait de vanille 1 c. à thé

1 Placer une grille au centre du four et le préchauffer à 150 °C (300 °F). Mettre 6 ramequins dans un plat de cuisson. Répartir les framboises dans les ramequins. Mettre à bouillir assez d'eau pour pouvoir en verser plus tard dans le plat de cuisson, à mi-hauteur des ramequins (voir étape 2). Entretemps, placer un linge à vaisselle humide sous un grand bol pour le stabiliser. Fouetter les jaunes d'œufs dans le bol avec 105 g (1/2 tasse) de sucre jusqu'à ce que le sucre soit dissous et que le mélange soit pâle et lisse. Réserver.

2 Dans une casserole de grosseur moyenne, sur feu moyen, chauffer la crème et le basilic, en remuant fréquemment, jusqu'à ce que le mélange se mette à bouillir, environ 5 minutes. Retirer le basilic. Verser graduellement la crème chaude dans la préparation de jaunes d'œufs, en fouettant constamment jusqu'à ce que le mélange épaississe, environ 2 minutes. Ajouter la vanille en fouettant. Répartir la préparation dans les ramequins. Verser de l'eau bouillante dans le plat de cuisson à mi-hauteur des ramequins.

3 Cuire au four jusqu'à ce que les bords des crèmes soient pris et le centre mou, de 50 à 60 minutes. Mettre les ramequins sur une grille et laisser tiédir environ 10 minutes. Réfrigérer à découvert jusqu'à ce que les crèmes aient refroidi, au moins 2 heures.

4 Saupoudrer les crèmes de 105 g (1/2 tasse) de sucre (un peu plus de 1 c. à soupe pour chacune) et lisser. À l'aide d'un chalumeau à crème brûlée, caraméliser le sucre dans un mouvement de va-et-vient, en tenant la flamme près du sucre. Faire fondre le sucre jusqu'à ce qu'il devienne ambré. (On peut aussi caraméliser le sucre en passant les crèmes sous le gril [*broil*] en surveillant bien la cuisson.) Laisser reposer jusqu'à ce que le sucre durcisse.

GÂTEAU GLACÉ AU CAFÉ

PRÉPARATION : 25 MINUTES • **ATTENTE :** 8 HEURES 15 MINUTES • 12 PORTIONS

CROÛTE DE BISCUITS AU CHOCOLAT
crème 35 % 80 ml (1/3 tasse)
lait concentré sucré 2 c. à soupe
chapelure de biscuits au chocolat 750 ml (3 tasses)

CRÈME GLACÉE AU CAFÉ
crème 35 % 500 ml (2 tasses)
lait concentré sucré
 1 boîte (300 ml)
café instantané espresso en poudre (de marque Nescafé, par exemple) 1 c. à soupe

GANACHE
chocolat non sucré 115 g
 (un peu moins de 1 tasse), haché
crème 35 % 80 ml (1/3 tasse)
lait concentré sucré
 125 ml (1/2 tasse)

friandises rondes au chocolat
 (bouchées de chocolat Coffee Crisp ou bonbons chocolatés Maltesers, par exemple) environ 100 g (garniture) (facultatif)

1 Placer à l'envers le fond d'un moule à fond amovible de 23 cm (9 po) (le bourrelet vers le bas) et le tapisser de papier d'aluminium. Couvrir la paroi du moule, à l'intérieur et à l'extérieur, de pellicule plastique. Assembler le moule.

2 Pour la préparation de la croûte de biscuits au chocolat : dans un bol de grosseur moyenne, mélanger la crème et le lait concentré. Ajouter la chapelure de biscuits et mélanger jusqu'à ce qu'elle soit bien humectée, mais toujours grumeleuse. La presser dans le fond du moule et jusqu'à mi-hauteur de la paroi.

3 Pour la préparation de la crème glacée au café : dans un grand bol, mélanger la crème, le lait concentré et le café instantané. À l'aide d'un batteur électrique réglé à vitesse moyenne-élevée, fouetter le mélange jusqu'à ce qu'il soit lisse et gonflé, et qu'il forme des pics mous, 5 ou 6 minutes. Le verser dans le moule et lisser le dessus. Congeler jusqu'à ce que la crème glacée soit ferme, environ 8 heures, de préférence jusqu'au lendemain.

4 Pour la préparation de la ganache : dans un bol allant au micro-ondes, chauffer le chocolat avec la crème au micro-ondes, à intensité moyenne, 1 ou 2 minutes. Remuer jusqu'à ce que le chocolat soit fondu et lisse. Ajouter le lait concentré et remuer jusqu'à ce qu'il n'en reste plus de trace.

5 Verser la ganache sur le gâteau congelé et lisser le dessus. Si désiré, décorer de friandises au chocolat ou d'autres friandises. Congeler jusqu'à ce que la ganache soit ferme, sans plus, environ 15 minutes. Détacher la paroi du moule et transférer le gâteau dans un plat de service. Couper et servir immédiatement.

SABLÉS CLASSIQUES

PRÉPARATION : 25 MINUTES • **CUISSON :** 15 MINUTES • 34 SABLÉS

farine tout usage 390 g (3 tasses)
sel 1/2 c. à thé
beurre non salé 375 g (1 1/2 tasse),
   à température ambiante
sucre 150 g (3/4 tasse)

1 Placer une grille dans le tiers supérieur du four et l'autre dans le tiers inférieur. Préchauffer le four à 175 °C (350 °F). Tapisser 2 plaques à biscuits de papier sulfurisé (parchemin).

2 Dans un bol de grosseur moyenne, mélanger la farine et le sel. Dans un grand bol, à l'aide d'une cuillère en bois, battre le beurre avec le sucre jusqu'à ce que le mélange soit lisse, 1 minute. Ajouter graduellement la moitié des ingrédients secs en remuant jusqu'à ce qu'ils soient incorporés, sans plus. Ajouter le reste des ingrédients secs en pétrissant la pâte avec les mains jusqu'à ce qu'elle forme une boule.

3 Sur un plan de travail fariné, abaisser la pâte à 0,5 cm (1/4 po) d'épaisseur. Découper les sablés en utilisant des emporte-pièces ronds ou d'une autre forme. Déposer les sablés sur les plaques en les espaçant de 5 cm (2 po) – ils s'étaleront en cuisant.

4 Déposer une plaque dans le tiers supérieur du four et l'autre dans le tiers inférieur. Cuire jusqu'à ce que le pourtour des sablés soit doré, sans plus, de 12 à 15 minutes – intervertir les plaques à mi-cuisson. Laisser tiédir les sablés sur les plaques 5 minutes, puis les transférer sur une grille et les laisser refroidir complètement. Ils se conservent, dans un contenant hermétique, 1 semaine à température ambiante ou 1 mois au congélateur.

209

VARIANTES

AUX ÉPICES DE NOËL
Ajouter 2 c. à thé de cannelle moulue, 2 c. à thé de gingembre moulu et 1/4 c. à thé de muscade moulue aux ingrédients secs.

AU CHOCOLAT ET AU SEL DE MER
Réduire la quantité de farine à 325 g (2 1/2 tasses). Ajouter 45 g (1/2 tasse) de poudre de cacao tamisée aux ingrédients secs. Avant de faire cuire les sablés, les saupoudrer de 1/2 c. à thé de sel de mer en flocons.

À L'ORANGE
Ajouter 1 c. à soupe de zeste d'orange aux ingrédients secs. Cuire les sablés et les laisser refroidir. Mélanger au fouet 60 g (1/2 tasse) de sucre glace et 2 c. à soupe de jus d'orange jusqu'à ce que le mélange soit lisse. En arroser les sablés avec une cuillère.

AU THÉ EARL GREY
Moudre finement 2 c. à soupe de thé earl grey (environ 8 sachets) dans un moulin à café et l'ajouter aux ingrédients secs. Ajouter 2 c. à thé d'extrait de vanille à la préparation de beurre.

À LA CASSONADE
Remplacer le sucre par 200 g (1 tasse) de cassonade tassée.

AU CITRON ET AU WHISKY
Ajouter 2 c. à soupe de farine tout usage, 2 c. à soupe de zeste de citron et 1/4 c. à thé de cannelle moulue aux ingrédients secs. Cuire les sablés et les laisser refroidir. Mélanger au fouet 120 g (1 tasse) de sucre glace, 1 c. à soupe de jus de citron et 2 c. à soupe de whisky jusqu'à ce que le mélange soit lisse. En arroser les sablés avec une cuillère.

PAVLOVAS AUX ABRICOTS ET AU GINGEMBRE

PRÉPARATION : 20 MINUTES • **CUISSON :** 2 HEURES 10 MINUTES • **ATTENTE :** 15 MINUTES • 8 PORTIONS

ABRICOTS AU GRAND MARNIER
abricots environ 8 (600 g / 1 1/4 lb),
    coupés en quartiers
Grand Marnier 410 ml (1 2/3 tasse)
sucre 210 g (1 tasse)
gingembre frais 4 tranches
    de 0,3 cm (1/8 po) d'épaisseur

MERINGUES
blancs d'œufs 4
sucre 210 g (1 tasse)
fécule de maïs 3 c. à soupe,
    tamisée
gingembre confit 2 c. à soupe,
    haché finement
vinaigre blanc 2 c. à thé

CRÈME FOUETTÉE
crème 35 % 500 ml (2 tasses)
sucre glace 3 c. à soupe

1   Pour la préparation des abricots au Grand Marnier : mettre les abricots dans un pot Mason de 1 litre (4 tasses) – il devrait être rempli jusqu'au bord.

2   Dans une casserole de grosseur moyenne, sur feu moyen-vif, faire bouillir le Grand Marnier avec 410 ml (1 2/3 tasse) d'eau, le sucre et le gingembre, en remuant de temps à autre, jusqu'à ce que le liquide soit sirupeux et ait réduit à 430 ml (1 3/4 tasse), de 25 à 27 minutes. Retirer du feu et laisser reposer 15 minutes.

3   Passer le sirop au tamis et le verser sur les abricots. Laisser refroidir complètement à température ambiante. (Les abricots se conservent 2 semaines au réfrigérateur.)

4   Entretemps, placer une grille dans le tiers inférieur du four et le préchauffer à 120 °C (250 °F). Tapisser une plaque de papier sulfurisé (parchemin).

5   Pour la préparation des meringues : dans un grand bol, à l'aide d'un batteur électrique réglé à vitesse maximum, battre les blancs d'œufs jusqu'à ce qu'ils forment des pics souples quand on soulève les batteurs, environ 2 minutes. Ajouter graduellement le sucre, 1 c. à soupe à la fois, en battant jusqu'à ce que les blancs d'œufs forment des pics fermes et brillants, environ 2 minutes. Ajouter la fécule de maïs, le gingembre confit et le vinaigre. Mélanger en pliant avec une spatule. Déposer 8 cuillerées de cette préparation sur la plaque pour former les meringues. Avec le dos d'une cuillère, faire un creux au centre de chacune pour leur donner la forme d'un nid.

6   Cuire au four jusqu'à ce que le dessus soit croustillant et sec, environ 1 heure 15 minutes. Éteindre le four et y laisser sécher les meringues 30 minutes. Les retirer du four et les laisser refroidir complètement sur la plaque.

7   Pour la préparation de la crème fouettée : dans un grand bol, fouetter la crème avec le sucre glace jusqu'à ce qu'elle forme des pics souples quand on soulève les batteurs. Garnir les meringues de la crème fouettée et des abricots au Grand Marnier. Arroser avec du sirop des abricots, au goût.

CARRÉS À LA CITROUILLE, AU FROMAGE À LA CRÈME ET AU CHOCOLAT

PRÉPARATION : 30 MINUTES · CUISSON : 40 MINUTES · ATTENTE : 2 HEURES · 20 CARRÉS

chapelure de biscuits Graham
250 ml (1 tasse)
gingembre confit 2 c. à soupe, haché finement
beurre non salé 60 g (1/4 tasse), fondu
œuf 1
purée de citrouille
180 ml (3/4 tasse)
cassonade 100 g (1/2 tasse), tassée
gingembre moulu 1/2 c. à thé
muscade moulue 1/4 c. à thé
sel 1/4 c. à thé
fromage à la crème 1 bloc (250 g), à température ambiante
crème 35 % 2 c. à soupe
pépites de chocolat au lait
180 ml (3/4 tasse)

1 Placer une grille au centre du four et le préchauffer à 175 °C (350 °F). Tapisser un moule carré de 20 cm (8 po) de papier sulfurisé (parchemin) en le laissant dépasser sur les côtés.

2 Dans un bol de grosseur moyenne, mélanger la chapelure, le gingembre confit et le beurre jusqu'à ce que le mélange soit bien humecté. Presser la préparation dans le fond du moule. Cuire au four jusqu'à ce que les bords soient dorés, environ 10 minutes.

3 Dans le même bol (il n'est pas nécessaire de le laver), fouetter l'œuf. Ajouter la purée de citrouille, la cassonade, le gingembre, la muscade et le sel en fouettant. Couper le fromage à la crème en cubes. À l'aide d'un batteur électrique, incorporer le fromage au mélange de citrouille jusqu'à ce que la préparation soit homogène – racler les parois du bol au besoin. Verser la garniture à la citrouille sur la croûte chaude. Cuire au four jusqu'à ce que la garniture paraisse prise lorsqu'on secoue le moule, environ 25 minutes. Laisser refroidir complètement sur une grille.

4 Dans une petite casserole, sur feu moyen-vif, chauffer la crème environ 2 minutes. (Ou la chauffer dans un bol au micro-ondes, à découvert, à puissance maximale, pendant 1 minute.) Retirer la crème du feu (ou du micro-ondes). Ajouter les pépites de chocolat et remuer jusqu'à ce qu'elles soient complètement fondues. Étendre sur la garniture à la citrouille refroidie. Réfrigérer jusqu'à ce que la garniture au chocolat soit ferme, environ 1 heure. Démouler en soulevant le papier sulfurisé et couper en 20 carrés. Les carrés se conservent 5 jours au réfrigérateur et 1 mois au congélateur.

TARTELETTES AUX PÊCHES ET AUX FRAMBOISES

PRÉPARATION : 30 MINUTES • **ATTENTE :** 30 MINUTES • **CUISSON :** 35 MINUTES • 4 PORTIONS

CROÛTE

farine tout usage 170 g (1 1/4 tasse)
sucre 1 c. à soupe
sel 1/4 c. à thé
beurre non salé 125 g (1/2 tasse),
  froid, coupé en cubes
eau glacée 4 c. à thé
jus de citron 1 c. à soupe

GARNITURE AUX FRUITS

cassonade 100 g (1/2 tasse), tassée
fécule de maïs 4 c. à thé
cannelle moulue 2 c. à thé
sel 1/8 c. à thé
pêches 4 grosses, non pelées,
  coupées en quartiers
framboises 1 barquette (170 g)

crème 35 % 1 c. à soupe
sucre cristallisé 1 c. à soupe

1   Pour la préparation de la croûte : dans le récipient d'un robot culinaire, mettre la farine, le sucre et le sel. Mélanger. Ajouter le beurre. Actionner l'appareil par touches successives jusqu'à ce que le mélange ait la texture d'une chapelure. Le robot en marche, ajouter l'eau glacée et le jus de citron par le tube d'alimentation. Mélanger jusqu'à ce que la pâte se tienne – elle ne doit pas être collante. Diviser et façonner la pâte en 4 rondelles. Envelopper chacune de pellicule plastique et réfrigérer jusqu'à ce qu'elles soient froides, au moins 30 minutes ou jusqu'au lendemain.

2   Placer une grille dans le tiers inférieur du four et le préchauffer à 200 ºC (400 ºF). Pour la préparation de la garniture aux fruits : dans un grand bol, mélanger la cassonade, la fécule de maïs, la cannelle et le sel. Ajouter les pêches et les framboises. Remuer pour les enrober uniformément. Répartir la garniture aux fruits dans 4 cassolettes (plats individuels) et les déposer sur une grande plaque à pâtisserie.

3   Sur un plan de travail fariné, à l'aide d'un rouleau à pâtisserie, abaisser une rondelle de pâte en un cercle assez grand pour couvrir le dessus d'une cassolette. Enrouler lâchement l'abaisse autour du rouleau à pâtisserie et la dérouler sur la cassolette. Couper l'excédent de pâte – la croûte ne doit pas dépasser du rebord de la cassolette. Faire 4 petites entailles dans la croûte. Répéter avec le reste des rondelles de pâte. Badigeonner légèrement les croûtes de la crème – ne pas la laisser s'accumuler dans les creux. Parsemer du sucre cristallisé.

4   Couvrir les tartelettes d'un grand morceau de papier d'aluminium. Cuire dans le bas du four 15 minutes. Retirer le papier d'aluminium et poursuivre la cuisson jusqu'à ce que la croûte soit dorée et que la garniture aux fruits bouillonne, de 20 à 25 minutes. Servir avec de la crème glacée, si désiré.

BROWNIES AU CHOCOLAT
ET À LA BETTERAVE

PRÉPARATION : 15 MINUTES · **CUISSON :** 45 MINUTES · 9 BROWNIES

farine tout usage 130 g (1 tasse)
poudre de cacao 25 g (1/4 tasse)
sel 1/4 c. à thé
chocolat mi-sucré 225 g, haché
huile de canola 125 ml (1/2 tasse)
œufs 3
sucre 210 g (1 tasse)
extrait de vanille 2 c. à thé
betteraves 500 ml (2 tasses),
  râpées

1 Placer une grille au centre du four et le préchauffer à 160 ºC (325 ºF). Huiler un moule en métal carré de 20 cm (8 po).

2 Dans un bol de grosseur moyenne, mélanger au fouet la farine, le cacao et le sel. Dans un petit bol, faire fondre le chocolat au micro-ondes, environ 1 minute. Ajouter l'huile et remuer jusqu'à ce que le mélange soit lisse.

3 Dans un grand bol, fouetter les œufs avec le sucre et la vanille. Ajouter le chocolat fondu en fouettant, puis les ingrédients secs et les betteraves en pliant délicatement avec une spatule. Verser la pâte dans le moule.

4 Cuire au four jusqu'à ce qu'un cure-dent inséré au centre des brownies en ressorte propre, de 45 à 50 minutes. Laisser refroidir sur une grille. Couper en carrés.

INDEX

222